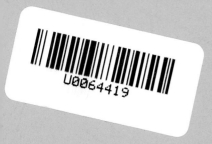

劉福春・李怡 主編

民國文學珍稀文獻集成

第四輯

新詩舊集影印叢編　第155冊

【楊騷卷】

心曲

上海：北新書局 1929 年 6 月 1 日初版

楊騷 著

春的感傷

上海：開明書店 1933 年 9 月初版

楊騷 著

花木蘭文化事業有限公司

國家圖書館出版品預行編目資料

心曲／春的感傷　楊騷　著 -- 初版 -- 新北市：花木蘭文化事業有限公司，2023〔民 112〕

110 面／148 面；19×26 公分

（民國文學珍稀文獻集成・第四輯・新詩舊集影印叢編　第 155 冊）

ISBN 978-626-344-144-6（全套：精裝）

831.8　　111021633

ISBN-978-626-344-144-6

9786263441446

民國文學珍稀文獻集成・第四輯・新詩舊集影印叢編（121-160 冊）
第 155 冊

心曲
春的感傷

著　　者　楊　騷
主　　編　劉福春、李怡
企　　劃　四川大學中國詩歌研究院
　　　　　四川大學大文學學派
總 編 輯　杜潔祥
副總編輯　楊嘉樂
編輯主任　許郁翎
編　　輯　張雅淋、潘玟靜　美術編輯　陳逸婷
出　　版　花木蘭文化事業有限公司
發 行 人　高小娟
聯絡地址　235 新北市中和區中安街七二號十三樓
　　　　　電話：02-2923-1455／傳真：02-2923-1452
網　　址　http://www.huamulan.tw 信箱 service@huamulans.com
印　　刷　普羅文化出版廣告事業
初　　版　2023 年 3 月
定　　價　第四輯 121-160 冊（精裝）新台幣 100,000 元

心曲

楊騷 著

北新書局（上海）一九二九年六月一日初版。
原書三十二開。

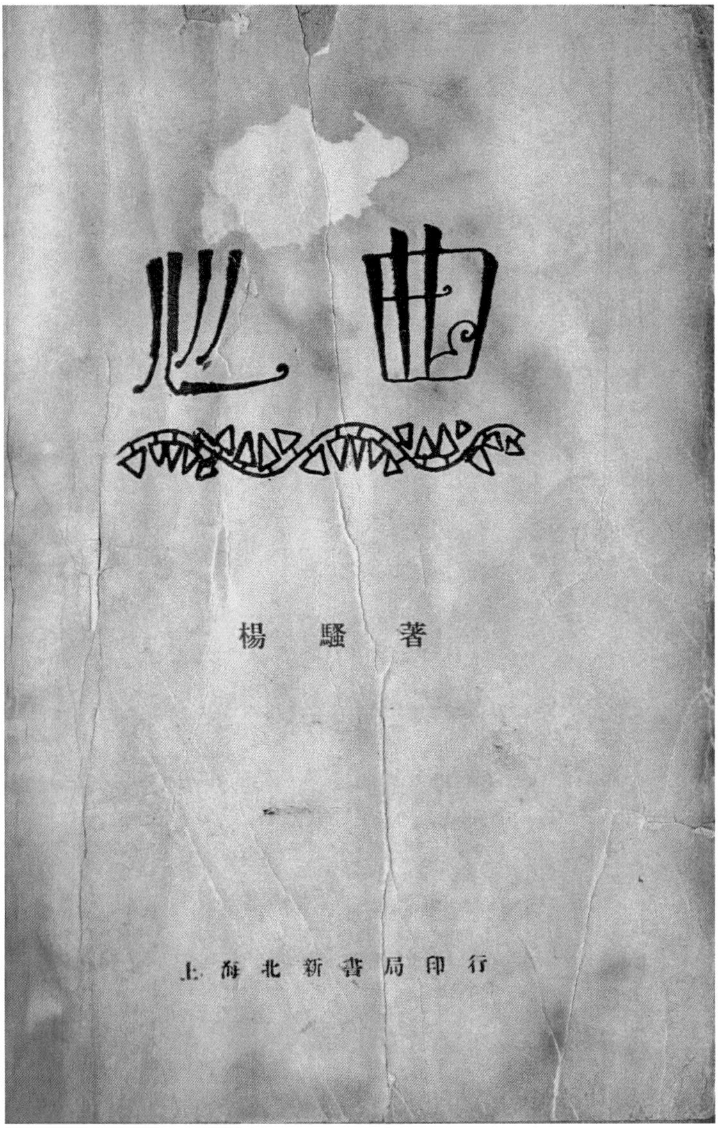
心曲
楊騷著
上海北新書局印行

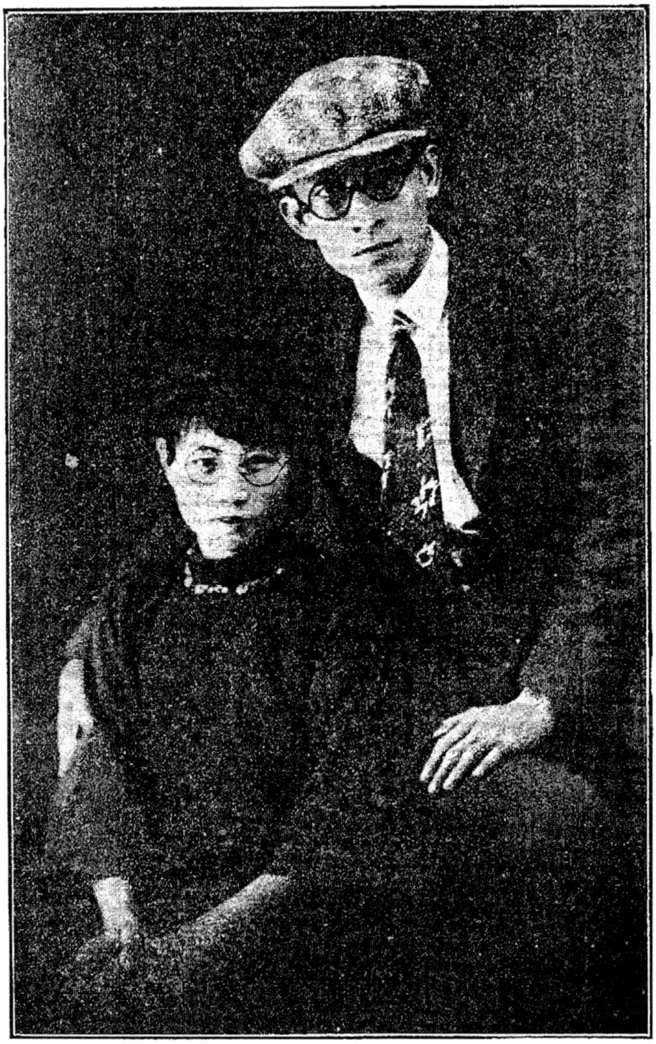

白・楊合影　（一九二九年一月撮於上海）

心 曲

楊 騷 著

上 海

北新書局印行

1929

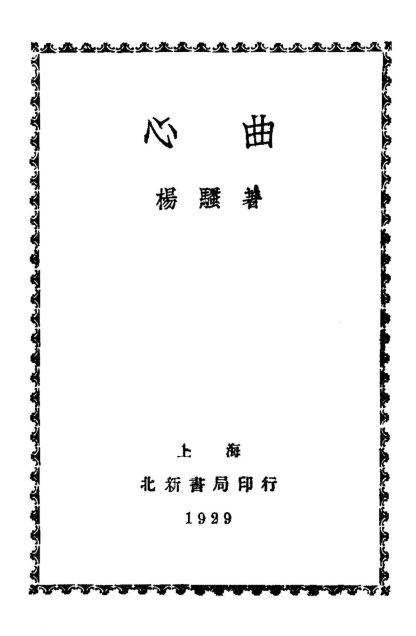

1929，2，1．付排

1929，6，1．初版

1——3000

每册實價三角半

景

　　月缺十分之一二，明亮亮地高懸樹林上。樹林間錯圍着一所草坪，陰影處處。是個晚秋的月夜。

　　旅人徬徨於草坪中，俯仰徘徊，不知所之，斷續續地獨白。

這到底是什麼意思？
好像迷魑暗魅纏繞我身，

任跑總跑不出這黑深深幽亮亮的森林！
這到底是個什麼所在哦？
我是從那兒來的？
從陰影裏借月光兒來的麼？
銀青色的鬼火引我入暗綠場中來的麽？
或者是想捕夜螢來的？
不，不，我沒有看見夜螢的道理。
夜螢在何處飛？
看見夜螢在何處飛麽？
天氣這樣冷，
草尖上有的是晶瑩的露珠……
哦！想採着露珠編領環來的麽？
那又是沒有的事！
露珠採集得來？
　　　手拈草尖上的露珠
一拈就融化的……

啊！對了，對了！
我是從一個大山爬過來的
山雖不高，眞是難爬呀！
路又狹小崎嶇，
那裏，簡直是沒有路可走的呢！
什麽怪草穢木，
這兒一叢，那兒一堆；
什麽石頭砂礫，
這兒一點，那兒一塊：
錯錯雜雜，簡直是沒有路頭可走的呢。
累得我爬攀半天，
才算是過了山了…………
到底是什麽的一座山也不知道。
爲什麽鳥聲也沒有聽過，
小瀧幽泉的音樂也沒有呢？
敢是一座不生泉不棲鳥的枯山？

不，或者是我耳朵聾了的……

　　側耳聽什麼似的

那裏話！我的耳朵要比白兔的還靈。

那不是深蟄在草根中的小虫鳴麼，聽啦……

　　又側耳細聽

啊！眞是，小虫在土中鳴呢！

不知道牠鳴什麼，

不知道牠曉得現在是夜間不……

到底怎麽就跑進這森中來的喲！

跑得進，總是跑不出……

哦！不錯，我過了那一重山，

又涉過了一條寒溪，

走透了一所愁悶暗淡的平原，

才不知不覺地穿進了這森林中來，

一進來天就黑了的……

啊！兩腿疲乏起來了！

— 4 —

今天眞走得不小呀！
不知有什麼地方可以歇息歇息沒有？
　　周顧
那個陰影裏好像有個石頭可以坐一坐呢……
不，非走不可！
非快一點找一條路出去不可！
在這森林中叫露水凍死不成……
但要如何走呢……
哦！小虫總是不斷地鳴，
不知道牠可曉得這森林的出口……
啊！路又認不得，黑暗暗地……
脚又這麼酸痛，受着風寒似的……
身體這樣疲乏，啊！假使有一張天幕………
那裏，無論如何是要尋着路徑出去的………
是，就使閉着開不得的倦眼，
結局也是要走的哦！

但向何方走呢……

問草根下的小虫麼？

側耳聽

哦！小虫怎麼就不鳴了，生着喉癰麼？

啊！眞冷！這森林好像凍殭了的墳墓，

沉靜寂滅的可怕……

仰頭看月

哦！月亮越發昇高了……

爲什麼會缺了一點？

好像日間被熱烈的彩霞吞蝕了似地……

爲什麼那樣嚴寒冷酷得可怕？

像是嫦娥感着風寒病的樣子……

啊！眞是有隻玉兔在裏面搗藥似的，搗藥，

爲着要醫治受寒的病嫦娥……

眞是又好像有桂花樹在裏面婆娑似地呀！

哦！桂葉零零落落飛墜下來的樣子……

奇怪，有桂花香呢！
何來的桂花香哦……

垂頭默想，若有所憶。沉靜，
有頃，歌聲發自陰影中。

惆悵迷離的旅人！
爲何蒼白你的臉像水晶？
許是秋露灑你飄泊的青絲冷，
月光無儼地親復親？

悵惆迷離的旅人！
爲何惻惻徘徊不進？
駐足銀綠陰中清聽，
哀哀怨怨的遠潮逐風聲？

悵惆迷離的旅人！

— 7 —

何所憶？何所尋？
許是淒冷的月香來探你心？
許是幽沉的馥郁叫你亡靈？

哦！悵惘迷離的旅人！
是回頭的海嘯望你奔騰！
快乘着無形有色的夜光飛去，
莫使朽屍浮起，白魄深沉！

旅人

哦呀，那是什麽聲音？
是誰在深森裏唱歌呢？
是什麽意思呢？
那是什麽宫商角徵羽呢？

聲音

我呀，迷途的旅人。

旅人

你是誰？是鬼還是人？
你不就是那半魚半人的海神妖女siren麼？
想用你的清歌魔曲迷惑我的麼？
不，不，這裏不是意大利的海島，
我又不是生長在波浪中的船員；
這是一所不可思議的森林，
而我是個跋涉山水的徒步旅行者……
哦！想你就是纏繞我的迷魑暗魅罷！
迷魑暗魅，出來！
出來我面前顯你的魔光妖氣罷！
我將採取招搖山的迷榖佩在我腰間，
那麼，任你有如何的迷人魔法，
我也是不怕的，
可以不慌不忙尋出一條大路給你瞧的！
出來，出來罷，你惑我的迷魑暗魅！

聲音

哦！迷途的旅人！

招搖山離此遠着呢！

並且我也不是什麼惑你的迷魍暗魅，

何爲要憤慨到這步田地？

旅人

那麼，你是什麼山狐野鬼了！

好，憑你是什麼，生得如何怪醜可怕，

出來罷，出來在我面前說罷！

我是不怕的，你曉得麼，

我胆子是借着幽靈的精氣結成的？

聲音

不，我不出去。

旅人

爲什麼不出來？你怕我瞧麼？

我又不是亞弗利加沙漠中的怪物 basilisk，

一睨就可以倒壞了你的；
你到底是誰呢？

聲音

我麼，是森林中的綠陰精呢。
我不是生得醜，又何嘗是怕你看。
你曉得你們人類的眼睛，
只看得人類的形象？
就我站在你的眼簾下，
你也是看不見的喲！
你們的瞳子眸只撮得淺觀的肉人形，
你們的耳朵只聽得幾寸遠！
你曉得我和你的中間，
只可放置三寸長的菊花瓣哦！

旅人

咄，你曉得人間也有古怪的千里眼麼？
你綠陰精懂得什麼！

你嚕囌唱什麼歌來？

是爲誰唱來的歌？

聲音

還幸你會聽到我的聲韻……

嚕囌麽，我歌麽？

哦！迷離的旅人，

是爲着你那樣蒼白可愛。

旅人

撒謊！我身邊雖被寒冷蒼白的月色包圍着，

我却是紅熱不堪的喲！

我那裏蒼白來！

聲音

那也未可定……

且問你爲什麼儘迷離在此，

好像在做幻夢似地？

旅人

等我想看看……

聲音

你是叫凄風苦雨趕入這森中來的，

是避霜雪來的呢。

旅人

是遭難的小蝶從蜘蛛網中逃出來的。

聲音

這清澄的大空中那有蜘蛛網來；

你是迷在這森林中作旋迴的舞蹈呢。

旅人

旋迴的舞蹈還未曾學得，

我是無心追尋什麼似的………

聲音

哦！惆悵迷離的旅人！

是回頭的海嘯望你奔騰而來！

快乘着無形的夜光飛去罷！

旅人

可又來！要飛也沒有兩翅………

又是什麼囘頭的海嘯喲？

這附近只有平坦坦的野原。

還記得我是從一片暗淡的野原來的。

聲音

森之東平原也未可定，

森之西曉得不是風浪險惡的大海？

旅人

但無端也生不得海嘯。

聲音

你不懂得海嘯麽？

火山爆發後有時會起滔天的大海嘯呢。

囘頭的海嘯時要更怒濤澎湃得可怕呢。

旅人

可是不見得有什麽火山爆發了的。

聲音

在你背後不是灰粉熔岩積一大堆麼？

旅人

不，我只記得爬過一座不棲鳥不生泉的枯山

聲音

那也未可定，總之你快走罷，
莫叫囘津漂掠而去，浮起死屍來。

旅人

那裏來的囘津？我只聞的月桂香，
我將在這森林中吸取月桂香，
等待旭日東昇。

聲音

快尋着路徑逃出去罷！
借着無形有色的夜光飛去罷！

旅人

不，我將張着虛無的天幕，

架着幻想的錦床，
安息我疲困的體魄，
做我微緲的冷夢………
哦！你看遍地的綠草都凝着點點的露珠，
映着月色那樣閃閃清麗的可愛………
我將在那叢露珠草邊張我的天幕………

聲音

哦！旅人，快尋着路走罷！

旅人

我將在那叢細柔的露珠草中，
架我幻想的錦床………

揉着眼睛

聲音

哦，神魂恍蕩的旅人！快尋路走罷！

旅人

我將叫我的夢魂圍繞

那叢眞珠墩似的露珠草………

欠呻

啊！睡下去罷………

倦怠地倒下草地上，有頃，

從陰影裏發出嘆氣一聲，綠陰精歌。

○○○○○

哦！倦倒寒光中的旅人！

巧小的草虫永在你的耳邊鳴。

瞳子開時只得走；

睏，莫須醒！

嚴霜冷露夢也成，

幻想的錦被掩不了你身………

哦！倦倒寒光中的旅人，

祝你永莫醒！

旅人靜睡在一叢草芒邊，
顏面被月光照得很蒼白很蒼白，
蓬亂的頭髮是銀青色的。
草叢帶着露珠閃閃輝動。
森姬從陰影裏慢慢地出來，
穿着白衣白裙，隨寒風習習地飛搖。

森姬

哦！這才找到了呢！
到頭來叫我找着了這個草坪了………
但不知道墜在何處？
的的確確我看見墜下這草坪來的，
那像銀鞭一閃的流星。
啊：眞是美麗，想起來我眼底還會生花！
假使叫我拾得了，一定要用我千年借着月色
紡就的白絹絲線穿上牠，
帶在我的頸上………

可是到底墜在何處呢？

四願

哦！好一個深沉幽靜的草坪！

月色這樣好，照得滿坪好像生出脈脈的銀波

，難怪那可愛的流星特意墜下這裏來。

可是奇怪，爲什麼總找不出？

連一個什麼流星影也沒有！

許是我看錯了罷？

不，的的確確是墜下這裏來的………

是這些蘆草遮住了的麼？

四願

流星喲！你躱在何處瞧我？

哦！怎麼會有這樣甜美的幽香？

是什麼風吹送隔林的夜香來的麼？

是月裏嫦娥嘆息的芬芳傳下來的麼？

爲什麼會這樣幽香醉人地………

啊！香的來處好像在那裏呢。

走近旅人倒卧處

哦呀！怎麼會有人在這裏睡着？
三更半夜，也不怕風霜露水………
哦！這可不就是流星的化身麽？
人家說天上的仙童仙女們常會犯罪下降的。
剛才那個流星，
可不是誤摔碎了玉帝的茶杯，
從玉帝的階前下犯來的麽？
不錯，不錯，這個人恐怕就是我冒着風霜帶着月色追尋的流星了呢！

細瞧旅人

怎麼這樣蒼白可愛呢！
他的眉間好像鎖着銀青色的花心，
他的兩頰好像開着兩朵憂愁的白百合………
哦！露珠點點凝綴在他蓬鬆的頭髮上。

他不會冷着麼？叫他醒過來罷………

喲！起來罷，可愛的流星！

寒風不憮地偷吻着你的白百合，

冷露貪心地一點一點結在你銀青色的花心。

醒過來罷，要受着風寒呢………

旅人不動

哦！不知道正在做什麼好夢！

爲什麼會睡得這樣深………

起來罷，可愛的流星！

旅人仍不動

怎麼總喚不醒呢？

可是夢魂迷入了深不可測的水谷花鄉？

喲！可愛的流星！

我唱一曲歌給你聽罷；

但是當謝禮似地你要起來哦！

唱什麼好呢？

有名的月夜曲麽，
那是要樂聖的心弦和盲少女的哀婉伴奏的；
天女散花麽，
那是要名伶婉囀美妙的啌喉和着嬝娜飛舞的
衣裾聲的………
哦！還是唱今晚讌會上新調的短歌罷。
琵琶忘得帶來不要緊，我就引着清風，
和着月光的波流唱起來罷。

僵臥而歌

鵝黃色的香蕉帶着黑斑點，
白磁盤中將腐爛。
處女宮內的明珠無萬無千，
粒粒墜下給誰看？

氤氳大使遞下鴛鴦牒，

索命的夜叉臨床聽遺音；
冰心湧不出淚和血，
待旭日東昇，明月西沉！

喲！趁着酥胸鼓動着暖溫溫，
揭開綠衣與紅裙！
掛着悲哀的小鬼臉，
看得出這秋月也是滿面春？

喲！來來來！
情熱的綉鞋踏青苔，
說不了飽滿與倦怠，
初離水的鯉魚肥，你扛我抬！

旅人朦朧地坐起來

旅人

— 23 —

哦！夢，夢！是什麽一囘的夢喲！

森姬

這才醒過來呢！

可愛的流星，你做什麽夢來的？

我的歌聲沒有聽見麽？

旅人

我心地總不清，

到底這是夢呢還是醒？

你是什麽人？

森姬

可愛的流星，你現在醒着了的。

旅人

你爲什麽儘喚我流星？

你到底是誰呢？

那樣淸麗孋娜跕在我面前發嬌聲的你是誰？

我還在做夢麽？

不錯，還夢着不醒的。

啊！怎麽會有這樣可愛的笑容：

怎麽會有這樣深秘的眼眸！

喲！跕在我面前風騷可愛的你，

你到底是誰呢？

怎得只管望着我微笑？

看我失了神的夢眼麽？

森姬

可愛的流星，是我呢。

我喜歡看你怪美的鼻樑，

我喜歡看你飄泊帶露的頭髮，

喜歡看你無血色菲薄的白唇約！

旅人

你是誰，哦！到底你是誰呢？

森姬

說給你聽罷，我是這森林中的姬君呢，可愛

的流星。

旅人

森林中的姬君也好，

月裏奔下來的嫦娥也好，

何爲總叶我流星，你也在做夢麼？

森姬

什麼夢不夢！

我的的確確地看你從天空中落下這裏來的。

踏碎了好多清冷的露珠，

踩斷了幾許糾蔓蔓的草籐，

才叫我找到了的………

啊！眞是個可愛的流星！

你怎麼就會睡着了？

不怕冷麼？現在不怕冷麼？

解脫我白雲織就的外衣給你披上好麼？

旅人

多謝你什麼森林中的姬君！
我現在心潮一悸一動，
滿身熱血巡迴着，一點都不冷。
但是你看錯了的罷，
我不是從天上飛下來的，
也不是從草根中鑽出來的；
我是從一個確確實實的山岳爬下來，
迷入這林中，倦倒草傍的一個旅人啊！

森姬

不，你錯了的，你不要撒謊！
你怎麼謊得我呢！你確是從天上的瓊樓玉宇
飛下來探我的心的。

旅人

哦！夢，夢！到底我還是在做夢！
是什麼意思喲，森林中的姬君？
夢也好，醒也好，

是天上的流星也好，
是地下的土豆也好，
到底你是從何處來的？
爲什麼要喚起我？

森姬

是剛才赴着讌會來的，
不，是逃席找你來的哦！

旅人

你家在何處？又赴什麼讌會來的？
在這黑沉沉鬼妖出沒的森林中也有什麼讌
麼？什麼讌會？

森姬

哦！可愛的流星，你爲什麼嘴這樣壞？
你看啦，那邊不是在讌會中，
遥遥遥的那邊…………
哦！席散了，三三兩兩地分散了，

夜也深了的緣故………

三三兩兩，執手依肩地………

你不看見麼？

旅人

不，什麼也不看見，那邊盡是陰影。

森姬

啊！不錯，不錯，你是看不見的。

聽說人的瞳子只照得肉人形，

假如你不化身做人就好了。

你為什麼要化身做人呢？

但是很可愛的一個人形，啊！

旅人

我本是人形，什麼化身不化身！

你好像個在母懷中的紅嬰；

說神祕不可解的天話呢………

森姬

不，你本是流星哦！
但不要說他罷………
我的住家就在那裏呢，
　　　望陰影裏指着
你看不見眞是沒有法子！
那是一個古井，上面有很蒼老莊嚴的柏樹像
綠羅錦傘蓋着的。
那古井就是我的住家，我今晚才從裏面很冷
很冷的清泉中出來的，爲的是要赴會。
不，不，今晚好像有什麽在外邊引我，
好像有很可愛的音韻在外邊呼我似地，
所以我就出來了；自己喜歡出來的，
想追那可愛微妙的音韻的。
你曉得麽，可愛的流星，
我本來不喜離我淸寂的古井喲？
我有幾年也不赴什麽會了，

深躱在古井中，
好像多愁的寡婦怕人家看見似的。
可是今晚奇怪，是，不錯，今晚有一種不可思議的幽怨可愛的音韻傳達我心，
所以我就出來了；一出來就叫他們看見，拖我赴會去。但我心那裏在讌席上，
只癡心着意地探望那可愛的音韻。
但是再聽也聽不出了，
不知牠順着什麼風飄飖消逝何方去了。
我心裏是多難過呀！
但是好，我偶然抬頭一望，
眼角忽看見一閃的銀光——流星，
就是你，哦！可愛的流星，
從那縹緲虛無的大空中墜下地來了，
墜下這草坪上來了。
啊！那是美死了的一閃，有如何的可愛喲！

所以我就喑地裏逃席出來，
喑地裏尋訪你來了的。
我感謝那一縷誘我幽怨的音韻！
到頭來被我找到了，可愛的流星喲！

捫旅人的頭髮

旅人

森林中的姫君，我現在醒着，你却在做夢
我不是流星，不是那麼可愛的流星。
叫你這樣的撫捫我，
我心胆都會惡寒起來的！
不要觸着我罷………

輕拂下森姫手，跕起身來。

森姫

這是那裏來的話！
我是千萬年不睡的，那裏有夢做呢！

旅人

不然，就是我夢還未十分醒，
帶着夢中氣味的耳朵，
聽不出你好像做夢的譫語的意味來！

森姬

哦！可不是，你剛才做什麽夢來的？
爲什麽那樣熟睡？說給我聽罷，可愛的流星

旅人

我雖不是什麽可愛的流星，
但爲着森林中的姬君你，
爲着這樣顧愛我的森姬你，美，
什麽也可以聽你的。
可是要如何說法呢？
啊！眞是個怪可怕而有趣的夢！

森姬

你快說罷！

旅人

要如何說法呢？
當做將答你喚醒我的歌曲，
我也收牠謅成個調子給你聽罷。
可是隱約大略，要說清就說到月沉………
哦！你看那月亮！

指月

月裏的嫦娥好像掩着面哭泣的樣子………
你聽來罷！

懸樑自縊的美女有人抱，
大眼睛，明像黑瑪瑙………
想捫她的桃花臉，
羞澁給我捫一道：
想觸她深祕的一點心，
烏雲遮飾辭我走。
走，遠遠和她愛人歌且舞，

依依望我笑而哭………

問她何爲舞，何所哭，

她不是短袖一招掩，

說她懷中哀穢的種子有一點，

恨不卽時跳出牠墜地，

悔不當初保住永遠菲菲的悶香！？

哦！可不是，那得忘記，

我好像飛落的敗絮，

飄搖搖，零丁丁，

她說的我聽不淸，

身拿不定，

和她雙生的妹子乘空來抱我，

使我歡嘆的珠淚流不盡！

流不盡，不盡的流，

流成一條河水綵悠悠，

悠悠河水起微波，

微波低低愁訴莫時休，
聲聲透入我空洞的肺腑，
問我嘗到妹子的心血否………
啊呀呀！一似中着癲癇病，
可不是我手抱着血淋淋的一顆心，
背負着赤裸裸的肉人形，
噹得一聲，
跳下淚泉中沐浴浮泳，
水淹到咽喉，聽你歌唱，
才從惡夢中驚叫而醒！

森姬俯首深思狀

旅人

森林中的姬君，聽見了麼，
這就是我的短夢一場？
哦呀，你怎麼把頭垂下去？

你聽慣了麼？
請返你清寂的舊家，
我也要再睡一下。
等一刻恐怕天就亮了罷。
那時我就可以尋着路徑，
出這不可思議迷住我的深林。

森姬

提起神來

不，不，我那裏就會聽慣了呢！
你美雅的清歌使我神靈彷彿了的！
但不知怎地總覺得心痛，
你清婉的歌聲浪中，
好像有些痛心的蓮子在旋轉似的……

旅人

有那樣事麼？我只覺得頭暈鼻子酸呢。

森姬

— 37 —

哦！那一抑一揚的調子，
不是刺痛我心了的，
是觸動我心的喲！
我心跳得利害，你捫捫看。

旅人

我的手指是幾年沒有洗的了，
不敢觸你雪白的胸襟。
你讓我再睡一下子罷。

森姬

我不讓你睡的！你那樣眼倦麼？
你看啦，這好生怪美的月亮！
她缺了一兩分，
好像叫夜魔吻壞了似地。
哦！我是好久好久沒有看到月亮了的喲！
我是好久好久深躲在
墳墓似的清寂的古井中的喲！

但是我喜歡的，我本是喜歡死一樣的清寂
可是現在變了，我看這月亮，
就回憶起我提孩時許多許多
唱過了的月夜歌來。
眞的呢，有一回當月姐兒滿面圓的時候，
我坐在一塊石頭上唱起月宮裏的嫦娥心來，
正唱得醉迷迷地，被夜梟一聲嚇住了！
還有一回一面任月姐的銀梳梳頭髮，
一面洗足在清流中唱我的
搖搖不定的水中影時，
忽就被一陣無名的暴雨驚跑了……
啊！還有許多許多，
我想起來就心微痛而慌，
身輕好像遠征的燕子，浮浮地想飛動了！
眞的，脇下好像生出翩翩兩葉翼，
總想像黃鶯狂飛一飛看……

抬頭望月

可是這月亮爲什麽總有點冷得可怕的樣子，

好像在冰河上戰慄着的小兔兒……

旅人

不知你在說些什麽古代哀話？

冷當然是冷的，現在不是晚秋了麽。

森姬

可不是麽，怪不得這森中

沒有根氣的草木都枝葉疏另起來了！

眞覺得四圍有點冷；但怪呀，

好像火燒似地，我心總覺得紅熱不堪，

裏面有火山要爆發了似的！

可愛的流星，心裏頭會有沒有火山？

旅人

有什麽火山，那是血流呢。

森姬

哦！血，血色是青的還是白的？

旅人

血是像落日那般紅得可怕喲，
那裏會青會白！

森姬

我不信，假如血是紅的，
你的顏色爲什麼會蒼白得那麼可愛？
血色倒是蒼白的了……

旅人

不，我的血管滲入一些浪花飛沫，
所以蒼白了的。
並且叫這月光反映着……
看啦，清冷的月亮，

指月

那不是更蒼白得可怕麼？

身顫

咐哼！眞是有點冷！

森姬

哦，這樣，紅也好，蒼白也好；

你冷麼，我解下身上的圍巾給你好麼？

旅人

謝謝你！

但冷要像從骨髓中生出來的，

你的圍巾恐怕圍不着罷。

森姬

你眞覺得骨冷麼？我却覺得心熱；

是血在流動麼，你說的？

血爲什麼會流動？

啊！我心總覺得跳得利害！

旅人

不錯，血是在流動的。

血本是流動的東西。

流動是想休息的。

你坐下停一息罷，

我替你選一個柔軟的草地……

森姬

不，不，我並不想坐，我想飛的！

你眞覺得骨冷麽？你血不流麽？

你爲什麽血會不流？

哦！和我飛起來吧！

恐怕一飛動就感得暖和呢。

旅人

我又沒有白孔雀輕勻的羽毛，

怎能夠和你飛？

並且我是從很遠很遠的地方走來的，

走了幾天，疲乏得了不得，

總想再睡一睡，你讓我睡罷。

森姬

不然，就在這月下和我跳個舞罷。
總不讓你睡，睡是最可怕的，
夜叉的鐵鍊加在你頸上你都不會曉得哦

旅人

不能，我兩脚叫勞苦生上瘡疱來了的，
不能和你跳舞。什麼夜叉？
夜叉的鉄鎖扣不住我細瘦的黃頸……

森姬

哦！好一個可愛而頑固的流星喲！
你頭髮好像生出青苔來了呢！

旅人

那是錯了的，什麼流星又來了！
說頑固却是頑固的；
我頭上的青苔是岩石上生長出來的呀……

夜鳥凄切地長啼幾聲

森姬

哦！那是什麼聲音哦！

夜鳥又啼兩三聲

旅人

是夜鳥睡醒了啼呢。

森姬

爲什麼啼？

旅人

恐怕是因爲天要亮了罷。

森姬

哦！天雞懶睡着的兩翅，已鼙撲響了麼？

夜鳥又長啼幾聲

森姬

啊！怪可怕的聲音！

好像聲聲叫去了我的心魂！

旅人

啊！好哀婉淸澈可聽！

— 45 —

好像我倦睡的魂魄都被牠叫醒了。

森姬

好像叫去了我的心魂呢！

旅人

睡蓮的葉葉浮動了，天將黎明了！

森姬

我的心血流不動了！不不，失了心了！
血紅的珊瑚礁崩壞了……
啊！冷得厲害！

返身欲走

旅人

森林中的姬君你將何往？

森姬

囘我的住家去。

旅人

你不想跳舞了麼？

森姬

我心要冰凍了的，不不，我無心了的……

血紅的珊瑚礁崩壞了………

旅人

哦！森林中的姬君，請在這裏，

請和我在這裏！

你不想和我跳舞了麼？我和你來……

森姬

哦！可愛的流星！

我滿身都冷得震顫起來，我要快回家去，

用清冽的幽泉溫我體軀！

那話裏，我已沒有體魄了的……

請了，可愛的流星，啊！可愛的流星！

兩手掩着面急速地走入陰影中

旅人

茫若有所失

— 47 —

這是夢麽，幻麽？
好一位不可思議的森姬喲！
翩翩躚躚一似花蝶蝴飛來，
影影約約一似燈影消逝呢！
爲着什麽，是爲着什麽哦……
哦！她好像帶了我的靈魂去了的！
我夢餘的殘魄好像
全部跟她的倩影飛去了……
那裏，我青色的心眼在我背後閃閃發光，
誰能夠暗地裏近着我身，
誰能夠將我的魂魄攝去？
我青色的心眼要比
野狐獵犬的眼睛還銳利喲！
哦！可不是麽，我什麽都看得見；
看啦，那不是一位迷兒在草地上麽？
金黃色的斜陽照得他不敢抬起頭來！

不錯，那裏是清澈的月夜，
是一個炎夏的黃昏時候呢！
　　　月色變作落日樣起來
那迷兒不是坐在黃昏裏頭哭泣麼……
喲！迷兒，抬起頭來罷！
四圍的樹林好茂盛，登樹去來罷，
登上樹梢頭偷鳥巢中的白卵去來罷……
哦！迷兒，轉過頭來罷！
落日大又紅，在你背後面，
看一看這好景罷！
只管垂着頭哭什麼？有什麼傷心麼？
想起小孩時在母懷中
喫奶奶的故事來了麼……
哦！聽啦，那是什麼聲音……
　　　旅人夢遊似地入了失神狀態；
　　　小羊哀哀地遠方鳴。

咪—— 咪——

哦！那不是小羊鳴麽……

咪—— 咪——

哦！聽啦，那不是失羣的小羊鳴麽……

咪—— 咪——

哦！尋歸路的小羊呢，那麼哀怨……

咪—— 咪——

哦！風這麼大，草木都驚動了……

咪—— 咪——

哦！風這麼大，天都昏了……

咪—— 咪——

哦！風這麼大，小羊喲！

你迷在何處喲？

你來罷，我帶你回家去罷……

啊！風漸息了，日也將沒了，

小羊的哀鳴也漸微弱了……

哦！迷兒也不見了，天轉了……

返成月夜的淸寂，

旅人醒悟過來似的。

還是什麼意思？這不是夢麼？

月亮這樣皎潔，什麼黃昏來！

什麼迷兒來，有的是姍姍的斑影！

哦！我的眼睛花亂了！

我的耳朵狂背了！

是是，我的魂魄都被

不可思議的森姬帶走了的！

我那有靑色的心眼來！

我只有淡黃色的睫毛呢……

望着陰影呼喚

森林中的姬君喲！回轉來，請回轉來！

你爲什麼捨我而去？

你喚轉我的夢魂，

是要使他纏綿在這寂滅的迷森裏的麼？
森林中的姬君，請回轉來！
我將像暗房中搬出來的病楊柳，
永望着春時節的太陽光似的你生長，
直到你紫光波敵不過瀟颯的秋風時，
我就葉落枝折地跟你去；
我將像從水中被人家救起來的小孩子，
永躲在你懷中，
叫你慈惠愛惜的溫情庇護我……
哦！森林中的姬君！
回來喲，回來摟住我喲！回來給我喲！
莫使我在這寒風裏獨自徬徨迷惑喲！
你叫我醒來，爲何要使我像星明亮的
眼瞳子儘看天上朦朧的銀河影呢！
啊！好冷啊！
處處盡是嚴霜冷露霏霏地……

我虛無的天幕，
叫暗中襲來的狂風吹到天外去了！
我幻想的錦床綉被，
叫背地裏氾濫的洪水漂流失了！
我將逃避何所呢？
尋森姬去罷……
穿着這笨重的銀鞋子怎跑得動呢！
不，我穿的是水月色輕妙的銀紗靴喲，
尋去罷，追去罷！
哦！我的森姬喲，你在那裏？
你不被魔鬼刼去了麼？
哦！我的森姬……

望森姬去處追往，
走沒有幾步就突然停住脚根，
若有所聽。歌聲幽發。

瘋狂奔放的旅人！
莫追尋！
無踪無跡，
無聲無形，
黑暗中只有萬千亡靈，
空遺下虛幻重叠的足印，
竟有誰尋到心上的頭髮一根……
啊呀呀，聽！
夜鳥啼聲，
是被月娘的嘆息驚醒；
還遠着呢，要近黎明，
哦，瘋狂奔放的旅人！

旅人

誰呢？又是森林中的綠陰精麼？
好，出來看我罷！

爲什麽你總畏首畏尾，
不敢伸頭露面？
是不是怕我看出你的假面來？
不錯，你是掛着理智的假面的，
你說的話都是欺人的！
你說什麽火山，火山在何處？
你說什麽海嘯，
這森林中却只有沉默的銀波光！
你的辯佘沒有力量喲！
你雖有天花亂墜的章句排，
這總是月波清流洗耳朵的……

聲音

瘋狂的旅人，且駐足看看罷！
試捫你的耳朵何在？
不是被如刀的冷風括斷了麽？

旅人

— 55 —

捫耳朵

我的耳朵比先前更靈敏地長在兩鬢邊，

織女在銀河畔的啜泣聲都聽得！

聲音

那也未可定。試捫你的心看，

那不是冰凍了的麽？

旅人

捫胸口

情熱的赤血正包圍着我心，

雖太陽的强光，沒有我的心熱呢！

聲音

那也未可定。試捫你的頭看，

那不是叫紛亂的烈火燒毁了麽？

旅人

捫着頭

我的頭髮有如霜露冷，

就你最微妙的詭辯我也辨得清哦！
塞你的口！滅你的唇！
莫使你空閒的口舌浪費了我寶貴的時光罷！
沉靜片刻
這才氣息聲閉了，
好一個擾亂我的綠陰精，咄！
但牠舌頭也有點靑，
月光還是那樣明亮亮地，
夜色眞還是深着，沒有那樣容易就黎明。
不看那北斗七星還高懸着望我……
啊！那七星定曉得森姬的去處，
當然是曉得，她們座位那麽高，
又那樣明亮亮地一轉瞬都沒有，
儘守望着地下一切的事物。
恐怕馬蟻在草根下的幽會，
她們都看得很明白呢。

啊！假使她們能夠告訴我就好了！
到底森姬跑到那兒去了呢？
什麼松下的古井麼？
那我是看不見的。
我只看得暗淡淡的夜光連天，
沒有絲毫的飛塵野馬在空中浮動的，
那有什麼古井影來………
到底到什麼地方去了呢？
不是被黑暗中的魔鬼吞殺了的？
不是被陰影裏的小妖拐了去？
還是追尋去罷？是，還是追尋去，
無論闇中有若干的亡靈阻止我，
途中有幾何虛幻的足印纏糾我……
是，還是追尋去！
無論她有形無形，
有形我用手捉，

無形我用聲捕……

不錯，追，追轉我的心魂回來罷！

我兩脚穿的還是水月色輕妙的白靴，

追去罷……

舉足難動

哦呀！我兩腿怎麽就麻痺起來了！

啊，啊！我走不動了……

聲音

麻痺了的旅人，聽我歌來罷！

明滅的兄弟們，和我合唱起來罷！

薄雲飛走，樹影浮動，

像有無千無萬的喉嚨合唱着似的；

旅人如醉如癲，湊着歌聲搖舞擺動。

望黎明的五彩豔麗，

掩拂長袖吹我清笛……

初離巢的燕子飛入我懷來，
放下溫熱的白脂一滴，
凝在我曉風吹冷了的衣裙。
待我歌停細看時，
燕子已飛入煙霧裏！
噯喲喂~~~~

露水淸洗不脫白脂的痕跡，
白脂終染透我散漫的心底。
要拔取白毛來粉飾，
往往還還浮搖四處尋，
但看變幻的雲霞迎面立，
不見燕子影！
噯喲喂~~~~~~~~

太陽出我生，

太陽沒我歸太陰：
明明滅滅，
一任燕子擾我胸襟！
嗳喲喂～～～

田圃中的小麥黃，
春來秋往，
燕子飛去不復返！
嗳喲喂～～～

待明年重來，
知是舊日情懷！？
嗳喲喂～～～

天傾地陷星辰衰，
嗳喲喂～～～

— 61 —

衰頹，噯喲喂~~~~

旅人

是什麽迷歌？又是綠陰精麽？

啊！綠陰精喲！你從黑暗中竊笑我麽？

你從黑暗中放出黑大黑大的怪眼………

哦！寒美嬋絹的月姐姐喲！

請替我趕開這些惡鬼！

森林中的姬君喲！請回轉來給我！

我走不動了，兩脚這樣酸痛，

心這樣痲痺………

頹然坐下。森姬出，穿着竹青衣裙

頭髮散披着，冷靜嚴肅樣。

森姬

流星，你叫出我的亡靈做什麽？

你垂頭坐着想什麽？

俯首窺探地心還有沒有熱熔熔的五金？

旅人

喜躍地跕起來

哦！我的森姬，你又來了！

到頭又回來了，我謝你，感謝你！

有許多許多的大魔小妖在陰影裏取笑我！

但好了，你又回來了！

你爲什麽能就回來呢？你到那兒去了的？

我當做你已叫暗中的魑魅誘拐去了的，

被魔鬼吞殺了的，或是。

森姬

沒有的事。什麽魔鬼也不能吞殺我。

你當做我脚跕的是

幾千萬年來凝固了的地球？

你當做我的聲音是

從靈妙的聲官發出來的？
沒有的事！
我脚下是空間，
頭上是空間，
心中是空間，
三重的虛無包圍着我的。
什麽魔鬼能夠呑殺我喲！
我原是無影無形無聲無息的。
就剛才的夜鳥聲聲，
也只够使我虛無的心潮起一點微波罷了！

旅人

不，不，你的兩脚比馴鴿的還細而美；
你的聲音比深林中的幽泉還清冽；
你的心要比春天的芭蕉心還甜蜜；
而滿天燦爛的星斗，
在你烏雲似的頭髮上輝耀喲！

我看得你，看得森中的美姬你！
你那得無影無形！
你姍姍的細影投在我心鏡上，
你無形之形瀰漫在全宇宙間………

森姬

任你說罷——　你曉得我何為又來麼？

旅人

為着要我你的流星來的罷。
但不要找牠，你曉得牠一流到何方去的？

森姬

是為着古井中的清泉暖不得我冰寒的心，
靜寂趕不開我虛幻的影子，
而萬重的黑帷遮不住你清高的呼喚聲，
所以我又來了，
帶了一些東西送你來了的。

旅人

哦！你帶什麼來送我？
我的行李在途中都失掉了，
連一頂血紅的朱砂帽也被風吹去了！
現在赤光光的我，
只有這寒娟的月姐跟隨着………
你帶什麼送我呢？

森姬

來時在途中採取月下的白玫瑰一朵，
墓邊的紅薔薇一枝。

從懷中拿出花來

看喲，這就是要送你的………

旅人

啊！謝你，謝謝你！

接花

在這嚴冷的秋夜中，
爲什麼有這樣鮮美的花兒？

聞花

眞是香啊！

森姬

何時何處沒有鮮艷的花草，

只要自家的眼綠心香。

旅人

聞花

眞是香呀！散漫的香波，

好像流入我的心中去了；

我腹中的迷雛好像被一陣陣的香雨灑醒了！

啊！我不知要用什麼返贈你好………

森姬

那要你還禮！

禮只能送，愛是不能酬的。

旅人

眞是，我不知用什麼報答你好！

— 67 —

這近邊又沒有什麼花叫我採取，
有的是蕪雜的荒蘆………
摘取月宮中的桂花送你麼，
我非嫦娥的侍女，無從偷取！
盜來西天的仙桃麼，
不會學孫行者的翻筋斗！
哦！將什麼送你呢？
我自家心田上的薔薇花麼？
是，我有粉紅靈香的薔薇墩在我心田上，
可是現在都萎靡衰落了………
哦！我送你花露水！是是，送你花露水！
我懷中藏着一個天上的綠泥燒就的玉壺，
壺中充溢着萬年不消的花露水………
我心田上的紅薔用不得他，
所以都萎敗了。
是，我將傾壺盡量地送給你，

送給你那可愛小小的兩葉櫻花瓣！

往抱森姬，吻之

森姬

啊！我唇上好像受了火傷！

旅人

但我好像月光吻着清冷的夜露………

森姬

你嘴唇紅得厲害，

好像剛才送給你的紅玫瑰瓣………

旅人

那裏，我嘴唇蒼白了的，

好像初三四掛在寒林上的月眉，

冰冷冷地…………

森姬

不，紅得可怕，紅得可愛！

緊抱旅人，接吻。

— 69 —

旅人

哦！你給我的白玫紅薔花，
片片散墜在你胸前了！
爲的是我忘記收藏起來，
把她們抱傷了………

解抱擁

森姬

怪呀！你唇上好像安放着冷藏庫，
我好像飲着紅色的葡萄冰………

旅人

可憐的玫瑰花！
你看片片散落了………

森姬

管牠做什麼！花本是要落的………

旅人

但是香得醉人呀！

這殘零的幾片更香得可愛了………

深深地聞着

森姬

你看，叫你的熱氣嘘哈一下，

更零落了幾瓣了！

可憐她們似地丟她們在露中自在去罷！

旅人

不，我將藏她們起來，

用我玉壺中的花露水養她們，

什麽時候會再蘇生起來罷………

收入懷中

森姬

那也說不定——你不覺得脚酸麽？

旅人

眞有點疲乏了！我本是疲乏了的。

森姬

— 71 —

坐一坐麼？

旅人

沒有一個坐所。

森姬

隨便草地上坐一坐罷。

旅人

露水不冷透全身麼森？

森姬

鋪下你心上的綷紗罷。

旅人

我心上那有什麼綷紗，

只有忽冷忽熱的血盆………

森姬

那麼，鋪下我的竹青衣帕罷。

旅人

竹青衣帕要比淸露還冷………

森姬

你那樣怕冷麼？

你剛才不是風露中夢過來的？

旅人

可不是麼，我那裏怕冷！

這森林作羅帳，月色作錦被，

而幽暗襲人骨髓的風露作繡枕時，

我恨不得和個美人抱沉入

深不可量遠不可測神祕的夜光中，

任酷冷的風霜雨露漂灑

森姬

哦！你嘴唇又漸漸紅熱起來了似的，

想親一親………

旅人

你親罷，嘴唇是我們所有的………

互相輕輕接下吻

— 73 —

森姬

哦！冰冷冷地，
你嘴唇好像從冰琪淋中拿出來的，
那裏那裏，我好像親着你的鼻樑似的，
你沒有嘴唇了的………

旅人

而我好像親着你的眼臁似地喲！

森姬

難怪我的頭髮黑的，你青的。

旅人

那裏，你頭髮是半邊黑的，
半邊青的，哦！還有點蕉黃色！

森姬

啊！不知怎地，我心有點酸痛起來了！
好像淚水要滴下來似的………

旅人

無聲無息無形的你也有淚麼？

森姬

哦！好像滴滴墜下肚子裏去了…

旅人

啊！有淚作怪的你是人還是這
森林中的靈精呢？

森姬

我那裏曉得！我只覺得脚站的不是地，
脚下瀰漫着虛空的雲霧。
不知現在酸痛的是心不是心，
也不知什麼才叫做心！
什麼叫做心呢，可愛的流星？

旅人

可又來！千萬遍都說過了，
我那裏是什麼流星不流星，
不過是個過路的旅人罷了。

森姬

你眞不是我追尋着的流星麼？
難怪你總有點人間的香氣！

旅人

那是當然的，我本是人間的人，
腥羶的赤血生不出月下的夜香………

森姬

啊！那麼你眞不是我的流星了！
你爲什麼來呢？
想在這幽沉的森中歇你走乏了的兩脚？
想在這冷霧中作冷夢？
是，你剛才做了個夢，
你不是做了個夢麼？

旅人

可不是麼，我眞做了個夢呀！
不知爲什麼就在這兒做了個夢………

啊！　放聲高歌

懸樑自縊的美女有人抱，

大眼睛，明像黑瑪瑙………

想捫她的桃花臉，

羞澀給我捫一道；

想觸她深祕的一點心，

烏雲遮飾辭我走。

走，遠遠和她愛人歌且舞，

依依望我笑而哭………

森姬

啊！嬌羞怜俐的妹子令人愛………

旅人

歌且舞，笑而哭，

問她何為舞，何所哭，

她不是短袖一招掩，

說她懷中哀穢的種子有一點，

— 77 —

恨不卽時跳出牠墜地，
悔不當初保住永遠菲菲的悶香………

森姬

好一位可愛可憐的妹子呀！

旅人

哦！可不是，那得忘記，
我好像飛落的敗絮，
飄搖搖，零丁丁，
她說的我聽不淸，
身拿不定。
和她雙生的妹子乘空來抱我，
使我歡嘆的淚珠流不盡………

森姬低頭嘆息，
流不盡，不盡地流，
流成一條河水綠悠悠；
悠悠河水起微波，

微波低低愁訴莫時休，
聲聲透入我空洞的肺腑，
問我嘗到妹子的心血否………

森姬

你嘗到了未？啊！我的心………

旅人

啊呀呀！一似中着癲癇病，
可不是我手抱着血淋淋的一顆心，
背負着赤祼祼的肉人形，
噹得一聲，
跳下淚泉中沐浴浮泳，
水淹到咽喉，聽你歌唱，
才從惡夢中驚叫而醒！
森中的美姬，我是夢過來的旅人啊！

森姬

哦！倒是個糊塗混沌的旅行者………

— 79 —

我的流星，我的流星！

旅人

你的流星到底是怎麼樣的？

森姬

我的流星似電光流火，一閃的，
青餤一閃就墜下這兒來的………

旅人

莫追尋罷！
那一閃就消滅在半空中的，
怎追尋得來呢？
墜下來的只是殞石啊！

森姬

啊！你果不是我追尋着的流星！
你是個腦袋生在盲腸中混沌的一個旅人罷！
你無心誘了我，我無心誤認了你，
什麼都很自然當然，

任其自然當然罷！
不不，自然當然是悲劇的，
我深恨自然當然！
所有都要矯揉造作，
不矯揉造作怎能够
在這虛無的月下歌舞呢………
不不，我恨矯揉造作！
我深恨裝飾！
裝飾要掩沒了純潔的心靈，
不裝飾是最裝飾最美的；
我要像瘋婦光着身赤裸裸地在街上跑，
我將用快刀割下我的心來，血淋淋地………
這是那裏話！我不，我不！
我只喜歡那深藏在閨閣中過去的小金蓮，
我只愛那永不見人寺裏妙齡的尼姑………
哦！說不了，話是說不了的！

我有什麼恨，有什麼愛？
我本是無的。
什麼流星，什麼星流，
我本是空空的呢！
可是旅人喲！我錯認了的流星喲！
我好像怎樣都是愛你的，我深愛了你……

旅人

森林中的姬君，你是人是精呢？
哦！你好像那看透了地上一切的一點一滴
什麼都不能使她迷惑，
而獨自抱着無限的悲歡，
在嚴厲淸冽的寒空中徘徊顧盼，
探求什麼似地的月姐姐。
不錯，你是這樣一位的月姐姐！
我呢，我夜遊病的迷童，
是蟲蛇草刺傷不到我有筋骨無血肉的體軀，

霜露雨雪冷不着我冷熱自在的魂魄，
渺渺茫茫地在
影影明明的夜光裏徬徨指畫，
畫出最無心而最有意的
一幅病山水來的夜遊病者迷童喲！
森林中的姬君，
這樣的病山水你喜歡麼？
這樣的迷童你也愛麼？
不曉得你的愛是白的是藍的還是紫色的？

森姬

我愛的微波不知合着什麼節奏的；
雖你是爛泥中的小泥鰍，就使，
雖我坐在虛無的冰橋上，
我還是愛你的，很愛你！
我很想將你一口吞下我無底的胃腸中，
很想將你的青絲一根一根地拔起來，

來剪裁我透明無色的夜衣！

可是天將黎明了，

東方將浮出淺薄的白光紅霞，

誘你久迷黑森中的靈魂去了。

不錯，將沉的月光有好深秘美妙的夜曲也是

冷的，

不能夠沉醉了慌忙追逐的旅人心………

·旅人·

哦！森林中的美姬！

你好像從海中跳出來的妖女，

在波濤中號呼雷霆的凄風厲雨，

赤血塗滿面，

兩手捧着自己一顆愛和淚漲滿着的心，

散披黑髮在兩肩，

夢眼高抬無窮的蒼穹，

專等她的流星電光迅雷地飛投在她胸上，

使她高潮滿浪霎時間
似雪融冰消地潛滅似的！
我愛這樣，這樣，我愛了你，
哦！森姬，我們愛罷！

森姬

啊！旅人，天將黎明了，
東方將浮白誘你出這寒冷的深森……
哦！看啦！
（指月）
好像久病臨終的美女似的
月娘娘漸漸沈下樹背後去了！
我無瞳子的眼眸，
要濃燄衝天的噴火山的，
看不得旭日的微光……
可愛的流星，咿呀，旅人，再會罷！

旅人

— 85 —

看啦，森林中的姬君！

看你身上穿些什麼？

你濃燄噴火山似的胸膛，

不是叫深山伐來的老竹綠葉

編成的古袈裟蒙住了的麼!?

解你自家身上的古綠袈裟罷！

森姬

那裏，我無心的心是透明的白絹包着的，

哦！天將黎明了，再會罷！

旅人

哦！我好像夜蛾偶飛到你電燈似的身上，

只看得强烈之光，

感不着可以致我焚殺的熱燄！

森姬

哦！我不知是光的電燈還是熱的水晶……

但天黎明了，可愛的流星，旅人，

快尋你的路走去罷！

我將返我清寂的舊家；

不，清寂的古井難守！

我將身穿白羅紗，脚踏浮雲，

像水流浪地漂我無形的屍首！

再會罷，再會罷……

啊！我心隱隱作微痛，

心傷了麼？

那裏，我本無心的，有什麼心傷！

哦呀，我眼皮下酒熱梅酸地，

是淚水生了蒸氣麼？

沒有的話！

我無瞳子的眼眸不知道淚是何物！

但哦！好像要墜下來了呢……

（以左手承左眼）

哦！這是淚珠麼？

那裏那裏，這是綠玉髓呢！
好透明清翠得可愛呀！
啊！好像有什麼在裏面似的，
可愛的流星，你來看罷，
好像什麼在裏面浮動的樣子……

旅人

（湊近森姬，看她的掌心。）
可不是麼，什麼在裏頭浮游的樣子……
哦！森林中的姬君！
心呢，是鴿子的小心肝在裏頭跳的呢！

森姬

沒有的話……
哦！這邊又要墜下來了……
（以右手承右眼）
裏面又是什麼？
在我綠玉髓似的淚珠中？

旅人

哦！看得出，我看得出！

縹渺的小仙姑在裏頭打鞦韆的……

好一位可愛的仙姑呀！

森姬

眞的？

（看自己的手心）

我迷濛的眼睛看不出什麼來，

只聞得血腥……

你喜歡她麼，給你罷……

（無限悽愴）

旅人

（接受森姬的淚珠）

這到底是件什麼小寶貝？

淚珠？什麼綠玉髓麼？

或許是森姬你心中的金鋼鑽？

（低頭深思；森姬乘間消逝。）

哦！什麼都好！

小鴿子的洗心室也好，

小仙姑的舞蹈亭也好，

趕出病魔狡妖，叫她們深入膏盲，

醫我五癆七傷的滿身病罷！

森林中的姬君，許她們入我的膏肓麼？

我吞下她們好麼……

（仰看森姬不在，哦呀驚叫一聲，

兩手撥開，手中的淚珠墜地，

生出白霧陣陣。

從白霧中浮出許多美女來，

圍着旅人環環而舞。

黎明的五彩燦然照着。

森姬躲在林中歌唱，

美女羣節奏和之。）

森姬聲

無邊鴻濛的太空喲！
我已脫離了你幾千年，
雖萬物無不爲你包圍着。
無數的大星小星喲！
我已丟開你們幾千年，
雖什麼都被你們羈絆着。

羣女

什麼都被你們羈絆着……

森姬聲

我帶着日月的華冠，
穿着四時的錦衣，
吸收青山綠水的精靈，
攝取四季五行的情性。
我來去自由的姬君喲！

— 91 —

我逍遙自在的公主喲！
帝王無奈我何，
風雨不掛在我心。

羣女

風雨不掛在我心……

森姬聲

你陰險的鴟梟喲！
莫惡狠狠對我翻着火眼！
我去也，將四處遨遊，
四處探求，
求得一枝深祕的鮮紅花，
贈我的心坵！

羣女

贈我的心坵……

森姬聲

誰敢在我身邊唱歌？

哦！將拔你紅翠的羽毛，
你啘囀嫉妬的小鳥喲，
莫對我殷勤唱着戀之歌！

羣女

莫對我殷勤唱着戀之歌……，

森姬聲

哦！我包過宇宙美的王孫喲！
我超脫時間愛的妃子喲！
熱潮冲不開我魂，
冰山壓不死我心！

羣女

冰山壓不死我心……

森姬聲

我無色而紅，
我無臭而香，
幾千年，幾萬年，

萬萬萬年！

羣女

萬萬萬年……

森姬聲

我似風而轉，

我似水而流，

千里遙，萬里悠，

萬萬里遙而悠！

羣女

萬萬里遙而悠……

森姬聲

哦！醉魄忘魂的旅人！

去了，你流星還是我流星？

五癆七傷任牠病，

一閃驚，一閃明，

去也，一閃天地心！

羣女

去也，一閃天地心……

（歌罷羣女湮沒，曉光透過薄霧，
驅馳淺紅色的電子，
在旅人頭上跳躍。）

旅人

哦！去也，一閃天地心………
啊！我胸膛好像貯滿着青菜汁，
酸痛的幼芽長在鼻孔中似的，
滾滾的清淚流下來了
哦！清淚喲！
想流出來看什麼？
想出來看送森姬麼？
你看得到麼，她的後影？
這清涼的繪圖中，

— 95 —

何處點綴着她血色的枝葉呢？
啊！我胸膛好像貯滿着青菓汁，
酸痛的幼芽生在鼻孔中似的……
想看什麽的淸淚喲！
撲簌簌地，撲簌簌地……
（何處細妹子的歌聲）

凄涼的夜光馳滅了，
哀婉的夜鳥也不啼了；
輕快的曉風吹動我的裙裾，
巧惠的初陽親我的豐頰。
好愉快的晨景喲！
你梳洗好了未？
我摘取鮮花送你！

沉痛的戀歌唱破了迷夢，

曦和的曙光逐開了冷風；
相映的露珠嬌滴滴，
偶語的草木笑嬉嬉。
好愉快的晨景喲！
你梳洗好了未？
我摘取鮮花送你！

旅人

那是誰的歌聲呢，那麼嬌脆動人地？
淸淚喲！你朦朧了我的眼眸，
但你自身却淸冽透澈，
看來罷，那是誰？
可不是幻化的森姬麼？
咿呀，那是另一個細妹子呢！
我看得眞，她蹲在路口摘花……
哦！跳起來了，

追一隻小鳥去了……

（細妹子的歌聲）

小鳥飛，飛飛飛，
想飛上雲間啄美穗。
我得追，
我得攀住鳥尾巴，
享受蒼穹的香味！

小鳥飛，飛飛飛，
想飛下田中啄麥穗。
我得追，
我得騎在鳥背上，
嘗點人間的眞髓！

小鳥飛，須得追！

小鳥飛，只得追！
莫低迷，莫昏睡！
說什麼昨夜風霜夢？
說什麼夢中的怪妖醜鬼？
今朝不是宇宙新且美？
不是今朝宇宙美且醉？
哦！小鳥飛，只得追！
跟我追來呀有誰？
跟我追來呀有誰？

旅人

哦！不可思議的聲音！
很熟識的聲音……
好像在幾千年前聽過了似的，
曾在沉下海底的無人島上聽過似的……
何時何處聽過了似的哦！

— 99 —

喲！清淚，快看去來！
你比水晶還透明，
快看去來，那是誰呢……
哦呀！怎麼無痕無跡！
清淚你那兒去了呢？
你跟着她的歌聲跑了麼？
你被她舞裙的香風吹乾了麼？

（細妹子的歌聲）

小鳥飛，須得追！
小鳥飛，只得追！
跟我追來呀有誰？
跟我追來呀有誰？

旅人

那麼婉轉動人地……
在那一個星光下聽過了似的呢……

哦！打秋韆的小仙姑！

咿啊，自縊的美少女……

你看那習習舞動的裙裾……

你看那招掩輕拂的短袖……

我還記得，我還記得

（細妹子的歌聲）

跟我追來呀有誰？

跟我追來呀有誰？

旅人

啊！她回頭一顧！

我記得，我認得！

那黑大的眼眸子，

那黑瑪瑙似的……

細妹子喲，等等我！

啊！只看得她糊糢的身子了！

—101—

只看得她縹緲的影子了……
追去罷，這不是大路麼？
黎明的五彩照着，
我怎麼在大路頭迷惑了一夜……
我怎麼在這森中做夢……
好個不可思議的森林喲！
哦！幽林！深林！
憂鬱，迷亂，哀怨的森林！
愛，死，狂瘋的森林！
再會罷……
喲！可愛的細妹子，
只看得一點點的黑影在曉霧中鑽了……
晨光會做我的引導者罷，
我慣走的腿子會追得及罷……
然而，然而……

（向森外奔去）

一九二四年十月中
草於東京。

春的感傷

楊騷 著

開明書店（上海）一九三三年九月初版。原書五十開。

傷感的春
楊騷作
開明書店版

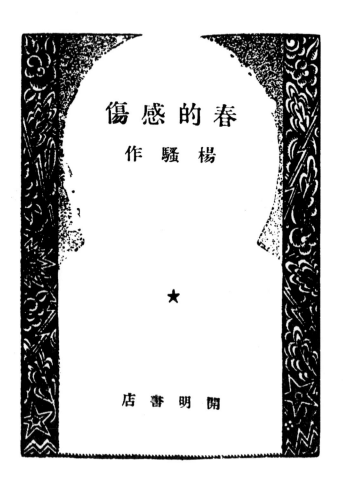

春的感傷

楊騷 作

★

開明書店

目次

贈詩

春的感傷

月徬徨

何時歸來，我的心愛！
獨上層樓的露臺，
冷風飄着月色吹來。
把祕密的柴扉開，
走入崎嶇水溼的小巷，
黑斑斑的籬影奔來。
跑上車亂人倦的大街，

煙與霉交流着死骸，
但見陰風遍地起黃埃，
啊，這是糊塗混沌的上海！

破曼陀園着心美而愛，
短的斬髮牽着長的悲哀；
人喲，人喲，哦，人喲，
這樣你何往何在，
在路旁悵望着未知的小孩!?

醜的地殼未破壞，
新的樂園未曾開；

春的感傷

4

縱你有愛人贈送，
地上無花供你採！

天無邊，海無涯，
人心安在哉，
欲借月容的皎潔慰你心懷。

誓此願永無消滅時，
雖月容或因天變而修改。
歸來罷，心愛，你歸來！

斷琴哀星

飛在縹渺的天上她之靈；
投入猥雜的人間我之心。
綺麗的彩虹望我書情熱，
我對乖巧的小姑弄弦琴。

琴，你愛之犧牲！
急調彈絕銅絃短，
狂歌唱破兒女心，
還叮嚀，叮嚀，叮嚀……

春的感傷

6

風聲雨聲梟啼聲，
天地驚動我驚醒；
撩亂淫霾的黑霧飛開，
我瞧到高空一顆星。

星在我的頭上照臨，
我跪在地面禱星星：
「你閃耀的夜明珠喲，
落下，落下壓碎我身！」

憂鬱的寒雲劫她飛躲，
閃光從我眼前走過。

啊，星星，美麗的星星，
何時許我重覩清影!?

北風與愛

北風喲，吹罷!
任帶來霜雪打我窗櫺，
春風好跟你就來，
來化我石化之心。
然而絕滅罷，北風喲!
任花花草草，
把荒園繡成錦，
哦，凜烈，凜烈，

你終殺氣迫了人，凜烈！
我誠殘酷，我誠，
我把她放在洪水橫流之中，
把她放在橫流之中心；
但我終愛她，愛她，
強暴的北風聲聲，
代我喊出強暴的熱情！

熱愛蒼白了朱脣，
狂戀壓碎了柔心，
血淚流失了芳魂，

贈　　詩

絕望終把她送入冷墳！
如今天地雖失了北風的強暴，
在她墳上生遍紅花與綠草，
也只給與行人飛鳥做配景；
春風縱把哀怨的玉門渡過，
也吹不開她執拗的墓塋！

啊！她生時我給她凶劍飲，
她死後我又來傷她的心！
是麼，我這繼續的嗚咽聲，
我這不絕的淚零，
縱她聽了，看了，也只將，

春的感傷　10

再陪我滴點淚，嘆些氣，
莫能掏合她破碎了的
片片如沙金閃耀的片片心！

你巧小的在我頭上的鳴禽，
聽，愛她不復生，
這天地無復有春信！

我將化作一股幽泉，
在她的墓邊迴縈！
哦！我將愛她復生！

跪在她面前

白的窗帷在北風裏搖曳，
她站在窗前呼唱朝陽的暖氣；
看喲，她嚴如冷霜，愛似神女。

我跪在她面前受洗禮，
從她震顫肅厲的聲中，
我承住贖罪的淚水滴滴。

陽光向我腐敗的頭髮直射，
我心痛，我心歡喜，

啊，我心洗淨了流濁一切。

我的罪深如海水，惡多春雨，
但跪在她的面前我如今，
好像秋空高而且潔。

傷情塞住我胸懷鬱抑，
我借哀聲嘆願寬散麼？
啊，我欲抱牠和愛長默默！

夜色

是陰曆的廿晚了，

半圓的月亮浮上屋角了。
是皮鬆脣放的年老了，
多苦惱的額角髮深落了。

初春的晚風帶着市上的騷音，
在那兒有人，有人，
有人在跳舞，有人在匍匐着行，
我還是做夢似的呆坐屋中，
守望着她寄我保管的花瓶。

還在做着美夢！
還在看半圓的月明！

還在守着戀慕良夜深！
啊！還在煩惱苦中心！

啊！想到大地在呻吟，
我願作炮火飛迸；
憶起她恨別的美眸，
我呀，淚水澤胸襟！

市上何時騷擾靜？
月夜何時天邊沉？
我心中何時哀愁平？
聽，鐘錶不斷的滴滴聲！

把夢拂開

把夢拂開，
把象徵的袈裟脫下，
把神像永埋！
赤着膊，
挺着胸，
光着腿登上望臺！

但拆毀夢臺，
揮着空拳撲上罷，
那兒我們的兄弟在！

我們的兄弟在，在，
在吶喊擊殺！
在血流成海！

泅過這血腥的大海，
把彼岸的炮壘毀壞，
造我們高入天心的燈臺，
那麼，血流成的海，
將湧起狂喜的波頭，
瞻望我們發射的光彩。

淚水讓後生替我們流，

悲嘆讓先生悲嘆了來，
如今血路須我們自家開。
莫睬，一切莫睬，
我們現在，我們生現在，
當負這苦痛充滿的地球重載！

莫睬，一切莫睬，
坐我們的飛艇追以太，
投我們的爆彈毀古寨！
撲上來，撲上來，
時與空與我們將換個新的世界，
時與空與我們將換個美的世界！

過江

一

江的對面遠山青，
江的這面山嶙嶙……
啊，你到了遠山懷裏去，
才曉得遠山青裏石也頑冥。

江的對面遠山明麗，
江的這面山霧迷……
啊，你到了遠山懷裏去，
纔曉得遠山明裏影也參差。

啊，江的對面引誘了你，
江的這面從今失了你！
江水自是悠悠不轉流，
夕陽將永照在江水裏。

二

送你到江頭，
但見江水流；
木船腐朽我心憂，
怕知何處是渡頭。

江邊無淺深，
木橋通江心；
扶你橋上步步驚，
橋下長流搖倒影。

我送你過江，
誰送我回山？
江中倒影搖心上，
朝霧未開四顧茫！

望你背後影，
嘆我孤零了；

曉得你可生還麼，
先不曉得我怎生！

啊，人，且慢，且慢行，
路開紫菫，
讓我摘一朵，
送你插上胸襟。

我心如那紫菫，
還凝着朝霧的小珠晶瑩；
這珠露將溼透你心，

使你醒，清醒，人。

人，你你，你聽聽，
草裏蟲兒在悲鳴，
霧遮山頭泣黃鶯，
是不是我送別最後的尾聲？

自前夜到了今天明，
天邊的半月還不肯西沉；
如今太陽也被濃霧遮沒了，
你要去了，你你，人！

啊，人，且慢，且慢行！
給我脣親，給我脣兒親親；
最後的一吻如今，
最初的一吻也如今。

一九二八，八月。

最後的心

一

我的在雪中跳足嬉戲的青春，
我的在竹下熱情映着的小影，
已葬在現實的殘酷的墳墓裏，
共我給小偸盜去了的善鳴的提琴。

如今天上飛滿淡淡的烏雲，
熱烈的太陽包在雲層的中心；
地上無強的生之明顯的光輝，
也沒有深的死之濃厚的黑影。

失意的白脣和祈望的眼睛，
借着最後的血和最初的明，
在招呼迷途飛失的征鳥，
在凝視風緊弦張欲斷的狂箏。

若風箏終斷，飛鳥的征魂終難覓，

讓牠風死花滅，奔流的皓潮阻塞！
這兒沒有悲觀，沒有咒咀怨恨，
我樂得負着自己的運命走過一生。

二

人比我健康，比我聰明，比我年青，
人給你心痛心愛，心的血奔騰，
如幻滅若自失的哀感微襲我身，
像飛鳥從高空盡下沒落的哀痕。

我的身病，我的血毒，我的天地陰沉，
你的情大，你的氣高，你的心兒潔淨，

我得努力登上喜馬拉雅山的絕頂當風，
我纔得是你的身上心中的永遠之人。

老在烈日之下喘息在風雪中打寒噤，
我將躲開你，躲開一切，躲開我自身。
我不祈誰的憐惜，不悲自己慘敗的一生，
我從心歡喜，你得到好的誠的美的人。

啊，莫念舊的情，舊的怨，送葬了活的新生！
如愛他人比我好，請勇敢地把他生擒；
如多愁多病多氣的你愛我比他人深，
啊，且笑受我這一片小小小的小心！

三

我已丟了童稚的夢熱的易破的愛情，
我已在追求堅牢的着實的快樂的人生。
使感傷的清淚化作猩紅的熱血能，
讓我灰色的悲痛永遠脫離我改造了的心！

山可攀，一日我有力得一日登，
莫說你將收拾火花的殘影；
你的噴火山似的熱烈的胸口，
該忠實地痛快地對自己的出路飛迸！

黃葉飛落的自然的哀怨的聲音,
讓他詩人去恊韻,去悲嘆,去低吟;
若飄到我的多夢少汕的頭上來,
我將笑着默默地承受牠不作一聲。

哦,把一切感傷的沉悶的淚的幻影驅逐了罷,
望一切有血有肉有力的快樂的新士前進!
願你永莫再憐我憐自己的淚溼寒枕,
我也將永拒這深夜來襲的哀苦的微音!

四

啊,聽,我的話要你聽,要天地聽!

也許我的毒爪已抓破了你的身和心，
但我是愛你的呀，我只愛你，你，
你在壓搾機的陰暗裏待放的紫堇！

啊，聽，我的話要你聽，要天地聽！
也許你的心感不到我渺小的溫情，
但我在愛你呀，只在愛你，你，
你綺麗的熱烈的晚熟的青春！

啊，聽，我的話要你聽，要天地聽！
你不斷的淚水已將我的河流穿成，
我歡喜，但願肥的春水，瘦的秋漣，

我歡喜，向後只爲你流，爲你澄清，

啊，聽，我的話要你聽，要天地聽！

我在此送給你最後的我的愛的心，

如你不承受呢，我將付與刀刮的北風，

使牠吹到北極的冰山的絕頂凝凍！

寫於一九二九年，一月，七日，夜的冷風在暗襲瘦頸，威嚇病身的淒寂微吟的電燈光下。

感傷

春的感傷

迷惘

一

像你這樣年青如綠葉，
誰曉得你曾經風霜劫？
像你這樣活跳如小鳥，
誰曉得你已嘔盡心頭血？

你的無邪的明眸流盼，
可使愁雲鬱結的天心寬散；
你的迷人的皓齒嬌聲，

可使曲高的雲雀投降。

猙獰的猛鳥要抓破你的乳頭生存，
狡猾的狐狸想舐你柔媚的紅唇，
輕薄風騷的野味飛禽呀，
想在你懷中貪點愛慾的溫存。

只有多情的春風帶着淚的雨，
多感的夜月放着愁的光，
共你窗前暗暗泣，
抱你帳中輾轉睡不得。

但這淚的雨徒使你感傷，
這愁的光空抱你惆悵。
女子呀，願這樣的月和風。
得解你哀情纏綣的五更夢！

二

你東漂西泊的寂寞的孤舟，
既無船夫把舵又無燈火探流；
白晝的暗礁和黑夜的急灘，
處處的險阻埋伏我心變。

想割蘿籐將你繫留，

割斷蘿滕滕花愁……
啊！願風伯護送你，
送你安然過渡頭。

三

你的素手兒有心無心，
觸我心血在流的心。
使我惺忪的眼兒驚醒，
使我低調的琴兒高鳴。

熱烈的脣兒與脣兒親，
從此我得着傷寒病；

傷感的春　36

爲的是想把我們的親吻，
誇示與海空皓月的孤零。

當我站在船頭對月驕矜，
熱的血在鬪着溫的情，
我想把易鬆的領兒扣緊，
冷風已暗暗地侵襲我身。

從此天天一杯苦樂難斟，
夜夜幾番迷夢不易醒。
啊，聰明的小鳥呀，
給我聰明的心！

我愛受難的小鳥，
又愛憂愁的紫堇。
想一蕊花怎兩個心，
淚涔涔，我哭到天明。

若說男女只是肉與血的兩性，
愛只是肉與血的性的結晶，
我同時可吮你的脣吻她的眼睛，
心上不會生起愁的波和苦的紋。

啊，從我曉得愛曉得求朱脣兒親，

我未嘗乾過淚溼的胸襟⋯⋯
如我的淚水得養活一朵小花，
流罷，流出我的情流出我的心！

黎明之前

昨晚連夜睡不得，
眼前如烏雲濃墨；
胸中心兒暗黑，
心上血兒壓迫。

啊！黑，漆黑，
把宇宙的空兒滿塞！

我唱歌，無板拍，
我繪畫，無顏色，

但聽屋頂貓兒咪咪，
但聽牀下鼠兒唧唧。

今早東方初明，
我的心兒纔平。
小鳥在耳邊吟唱，
綠葉在空中寫情。

啊！新，清新，

把夜來的恐怖掃盡！
我不唱，有歌聽；
我不畫，有風景。

我睜大半開的睡眼，
我挺起輾轉反側的病身。

太陽的舌頭剛伸出，
何方來的盜雲竊霧，
把天地的窗門關住，
偷劫了光輝的明眸，

小鳥失掉了覓食的飛路，
綠葉在陰風裏哀訴；
深閨還睡着多淫的少婦，
啊！今天從此日暮！

我心苦，跳出門外高呼，
蒼天呀，雨下如注！

明天沒有，
昨天沒有，
只有今天好守，
今天這樣的天漏地流！

漏呀，天，漏下天上的隕星！
流呀，地，流開地上的死人！
讓這個天地洗一回乾淨，
讓這個天地再一回新生。

我跳下洪荒的濁流中，
瞧到頭上險惡的蒼穹。

一九二八，一〇，一四。

夜的上海

鐵門緊關着，守護寶貝兒不肯開，

鐵柵內的月影兒射出鐵柵外來，
你無能結黨盜劫的人喲，
這是嚴防盜患的資本家的世界，
你枯瘦的軀體馬路上好安排！

二房東開着賭窩終夜打牌，
黑暗的亭子間那兒我的朋友在，
在受賭聲的襲擊，受失眠的迫害。
看着她那兒地板上可讓我伸腰麼，
我踏月光拖着卅分鐘的破鞋。

『我的朋友在家麼，房東太太？』

『你的朋友怪得來！
在這個時光，說什麼頭痛，
到外邊的馬路上喫風去哉！』
啊！朋友，何處可躺下我這遺骸？

兜風是飛馳汽車的少奶奶；
你想喫風麼，朋友，怕深夜的冷風，
要把你病傷的鼻子吹壞！
我無地板兒好做明月夢，
你在月明之下喫冷風，咳！

今晚怕你又要開着眼睛睡

我今晚要在街頭巷尾聽狗吠!
但這夜的上海的靈魂,
沉醉,在鐵骨銅牀上的肉塊中沉醉,
在有舞女的血紅的咖啡店中沉醉。

看啦,大戲院的陰影遮住小胡同,
胡同裏的喊聲,Come on, Come on;
脂粉填着深陷的長頰與碧眼窩,
這是沒落的白俄還是上海的沒落?

馬路上殘餘的淫賤賣,
手兒拖拖,腿兒挨挨,

還在我的背上打個心痛，
姊妹們旁觀着笑得心開！

去罷，跑到黃浦江邊去看水；
黃浦江中日日添着新的溺死鬼，
或許在這樣的月明夜深，
男女都浮上江面高喊革命與新生。

但看黃浦江邊碼頭多，
船的頭和船的尾在唱和，
毒的流和金的波，
明天的襲擊今晚準備着！

月兒在江中戰慄，
人兒在江邊失色，
溺死的屍首終無消息。

溺死鬼，你們眞的空空流失？
溺水鬼，你們在準備準備，
準備把你們的死屍高高壘起。

然後金的波和毒的流阻止，
陽光把你們晒成不朽的木乃伊，
淸的江水浮着你們渡過彼岸去。

啊！我轉回馬路上去，轉回，
把這消息傳給風吹狗吠！
然後我的朋友嗅風也歡喜，
我在馬路上睡也得意。
啊，回去，我將走到太陽昇起！

一九二八，八，二九夜半。

海夜曲

Kikkonkon, kikkonkon, 發沙 kikkonkon,

發沙，發沙，發沙 kikkonkon，
是機關，是船擊浪浪飛着風。
Kikkon，發沙，發沙 kikkonkon。

細心的船長在偷一瞬的朦朧，
困憊的水夫在作白沫的美夢，
希望的搭客在醉着波濤呻吟，
我在搖動，搖動，搖，搖動。

我看見，隱約的水丘和黑暗的渺茫，
我看見，誰浮在黑浪中，kikkonkon，
發沙，發沙，發沙 kikkonkon，

啊！我看見，誰浮在黑浪中！
誰浮在黑浪中，發沙，發沙 kikkonkon，
八子喲！正是四更夜裏起狂風，
可是任你喊罷，『主喲救我！』
這兒沒有異能的耶蘇拉你出浪中。

搖動，搖動，心兒跳上喉嚨；
看呀，我看見，睜開着眼孔，
我看見曉光，曉光要掙破闇夜，
微朦朧，微朦朧，微朦朧……

一九二七，一〇，一八夜於伏見丸中。

流水篇

漳州妹

鬖鬋的烏雲散亂在牀緣，
微風吻着的笑容一隱一現，
桃紅的薄羅衣掩着柔肌，
遮不住陣陣醉人的香氣，
柳眉含情地輕鎖着，
玉手嬌弱無力。

我與愛她的弟弟，
走入她喜歡的花園裏；
我採了許多紫羅蘭，

他採了許多紅薔薇，
編就花環兒圓圓，
贈她天生的嫵媚。

跪在牀前祈禱，我的弟弟：
『莫盡貪睡在輕風的搖曳裏，
開開罷美眸，醒醒罷你！』
但聽了她夢中不解的囈語，
弟弟俯伏牀緣啜泣，
我把弟弟扶起。

『弟弟，也許你看得曉月殘星，

也許我聽得暮鴉啼聲；
但南河相吻的水月晶瑩，
東山相映的島翠花明，
弟弟呀，流水嗚咽，秋山鎖雲，
啊！墓牀上的冷夢中尋！』

L妹

L妹，你曾有幾歲？
看喲，田圃陌頭淺水邊，
幼童少女們在指地畫天；
有的追逐黃粉蝶，
有的戲打水浪花，

有的呼喚小麻雀，
有的捕虜青色蛙……
你獨垂頭依門首，
執着紅薔等誰呢，素手？
燕子跟着秋風飛去了，
遺下綠泥暖巢，
空任風飄雨打明月照！

L妹，你曾有幾歲，
便愁眉重鎖着，朱唇色褪，
青絲凝着露珠冷，
白羽染了飛塵，

好像受傷的小鳥哀哀鳴，
餘音嫋嫋，萬里外傳達我心。

哦！L妹，L妹！
湖邊的翡翠美，
叫你無心地趕跑了，
待何時纔得飛回來？
只讓你惆悵懷憶，
提着空籠啜泣，
感我昏睡的倦眼，
墜我誓不再流的熱淚滴滴！

永劫

天上月光明，
湖中月涼冷。
想想天邊看不見，
茫茫湖水不知邊。

冷清清，冷清清，
湖邊樹林無倒影，
一條大路穿樹林，
影影明明。

影影明明，
路上有個行人，
且走且彈琴，
哦，那是我的遊靈。

琴聲斷復續，
清澈透湖心。
樹木聽了微吐息，
月姐聽了更光明。

行行彈彈，
彈彈行行，

彈者不知休，
大路無盡頭。

彈者漸行漸遠，
大路越去越長，
淸淸婉婉，
淒淒涼涼……

白鳥

爬壓，快爬上山去！
這兒塵埃還多，
雖佳樹美草滿坡。

爬喲，爬上中禪寺湖爲止，
爬到絕頂爲止！
那兒空氣淸，湖水明。

啊，這纔好呢，
一盤湖水如鏡，
四圍靑山靑靑。

不再回去，定不再回去，
你看湖中有好美麗的
靑山綠樹屋宇……

昔人雖愛華嚴之瀧，
我只愛這盤湖水玲瓏；
願抱得明月跳湖中！

你看湖中有好美麗的
青山綠樹屋宇……
啊！我最愛是湖心那裏。

哦！濛霧起山頭，
水珠凝在我的鼻頭，
且到草亭下去等一等霧收。

濛霧越濃，遮沒了青山；
不知濛霧裏迷住了
好多的遊女野郎？

恍惚中，望見，
一位花女在眼前，
手抱一枝花，又紅又鮮。

『借問好姐姐，
在這高山雲霧裏，
花從何處折來的？』

『我來從玲瓏的湖底，
這花我終身把持，
專等我的白鳥飛至。』

『哦！原來你的家就在湖底……
但借問好姐姐，
你的白鳥在那裏？』

『是，家就在湖底深處；
白鳥麼，不知飛到何方去，
怕不是迷在這濃霧裏？』

霧收了，青山望我笑；
但花女的蹤跡緲，風飄，
啊，湖底的綠樹青山屋宇搖！

想念

是十二月的天氣，
北風好勁啊，
我把窗兒關起，
小鳥在窗外哀啼。
好像多了雨聲，
我開窗一看，

哦，小鳥橫斜飛，
滿天都是雨絲！

北風幾括斷我的耳根，
雨點跳上我的鼻帶；
好冷呀，這風和雨！
罷，把窗兒又來關起。

窗掩一扇，呀！
那不是個女子麼，
迷迷濛濛，
站在風雨當中？

只穿着一領薄羅衣，
恐怕不是又寒又飢？
『來喲！雖無火爐熱，
我懷中可以溫暖你。』

她把我一瞧，
把頭一搖。

『來喲，雖無太陽好，
我懷中可以保護你。』

她把我一瞧，
把眼睛一眇。
『怎麼不來呢？
罷，我自己來抱你！』

我飛出窗外，
把她抱起，
再飛入窗內，
緊緊地將她擁在懷裏。

『你唇上全無血色，

好罷，我灼熱的嘴唇吻你；
可使你的心血流動吧？」
她把我一瞧，
望我一笑。
我唇兒剛和她一接，
兩手抱的是鋪被一條！

東京的夜市

市街籠着灰色的薄霧，
血色的燈光在痛哭；

天上幾點星兒在暗笑，
人，狗，十字軍路旁的說教……

胭脂唇帶着眼波的襲擊，
搖動的肉塊，誘惑電，
啊，支那料理，
大滷麵！

哈咿！五十錢，三十錢！
黃腐的香蕉一排一排，
帶着刺刀的牛頭馬面，
小飛船，小鬼臉！

傷感的春　70

殘夜曲

一聲聲，
滿都霖，
人喲孤影，
你病了深，

孤雲拖着影，
燈光殺死影，
哦，飄渺！
哦！冷清！

醉到路旁的兄弟，
且慢醒！
寒風要帶雪來，
冷雨淋着你身。

喲！蒙着黑衣垂頭的過路人，
仰首看，
天空墜下一點小星星，
追去罷，過路人！

黎明中

空着人兒相送的花瓶，

想折枝梅花插瓶裏；
踏碎小徑上的薄冰，
但見枯枝上坐着少女。

少女，請給我一小枝，
莫待芳菲隨着曉風飛逝。

狹小的櫻唇緊閉，
垂首沉思的少女，
只望我嘆口氣，
一陣白煙吹入寒空裏。

飛鳥山漫遊

野郎女妝，
三弦醉亂一叮一咚……。
女子裸着脚，
肉腿掠春風。

洒香爐倦八重櫻，
酒瓶滿山横。
夢繞花心醉倒樹下的兄弟呀，
祝他萬年不醒！

哦，友，看看！
滿頭簪花的老村婦，
琵琶獨自寂寞彈，
誰也不給她一顧盼。

俚歌俗唱，
迷住了遊客柔腸；
只要胸肥脣紅呀，
可墜思歸的飛雁。

呀！人造的小瀧生涼，
洗脫心悶與遍身癬。

木橋曲小何須怕，
且渡過對岸謁神仙。

王子神社後的高堤，
小鳥花間樹上嗎嗎啼。
何來刺心的口風琴，
哦！原是少女斜依老幹吹不停！

櫻花墜地任人踐踏，
紅粉絹似的櫻花正嬌媚；
好友別尋佳趣去，
我且拾只殘紅作伴侶。

紫藍布下蒙着什麽?
兩人慢慢地擡去……
啊,小孩兒的死屍,
聽說附近有火葬場呢。

心煩意亂眼糢糊,
撲簌簌淚落如珠;
迴步重返飛鳥山,
笑倒滿山櫻,就歸途。

迷兒歌

我從遠遠的對面山過來,

看她在淺溪邊浣洗。
我不知她美在何處，
但她的美已深刻在我心底。

重逢時，哦，她抱着死兒泣！
想採花贈她來去也，
及我從天上偷來時，
但見一片荒廬望我滿身汗如雨。

一片荒廬望我滿身汗如雨，
渺無蹤跡……
問青松綠竹，

說是她囘家去。

啊，路上的妹子，
你家在那裏？
我不知你美在何處，
但你的美已永留在我心底。

哀歌

嬌羞的少女，
且下梳妝臺，
凱歌美酒正酣醉，
你愛人今晚不得來。

目下梳妝臺,
分點心聽取遠道傳來的風聲;
你愛人今晚不得來,
墓中人起坐着呻吟。

分點心聽取遠道傳來的風聲,
夜鳥啞啞對月啼;
墓中人起坐着呻吟,
星星吐出幾道銀青的嘆氣。

星星吐出幾道銀青的嘆氣,
流落古長城萬里;

夜鳥啞啞對月啼，
悽悽切切啜泣和秋雨。

悽悽切切啜泣和秋雨，
啊，負着弓傷的小鳥飛不起！
浮雲驚走月戰慄，
流落古長城萬里！

啊！浮雲驚走月戰慄，
嬌羞的少女喲，聽聽罷，
遠道傳來的風嘆息，
遠道傳來的風嘆息！

黄昏雨

黄昏雨，雨淋漓，
淋漓雨，淚滴滴……
倦意的東京睡了，
悲美的交響樂停了，
我兩臂緊抱着美人，
身靠在風雨淒遲的枯樹。

我何所爲徬徨不去！
看這冷淒淒的暮雨，
儘管無情地灑暗天地，

我身上披的又只是，只是，
只是一件愛的壽衣！

黃昏雨，雨淋漓，
淋漓雨，淚滴滴……
我遺下東京的離愁別恨，
如沒有人承受呢，
還好讓我愛的壽衣帶囘去。

黃昏雨，雨淋漓，
淋漓雨，淚滴滴……
我何爲感傷到這步田地？

汽笛嗚嗚地鳴了呢……
汽笛嗚嗚地鳴了呢……

啊！黄昏雨，雨淋漓，
淋漓雨，淚滴滴……
再會罷，桃紅色的短衣！
再會罷，黑眼睛的柔媚！
願別後勿相思，
春風就地傳消息！

粉蝶與紅薔

春的感傷

西天已生出五色光耀的鬍鬚，
在誰家的花園裏，一隻粉蝶低迷悱惻地：——
「闇昏昏，闇昏昏，我的心兒已經闇昏昏，
什麼都不明，什麼都照不清！
我只是飛，飛飛飛，四處散漫飛，
不知爲何飛，不知向那兒飛！
飛飛飛，天天如是，自太陽出至太陽墜。
看看青山又放晚霞了，太陽不知墜下那裏？
這是什麼一個去處？噯！園子呢，好一個園子！
青青翠翠，紅紅綠綠，什麼花也有，草也有。
喂！蒲公英，這是什麼地方？

………
喂！滿山紅，這是什麼地方？
………
那麼山櫻呀，你教我罷，這是誰家的園子？
………
怎麼你也不說！那麼，紅薔姐姐，
好姐姐，你告訴我罷，這是誰家的園子呢？
她們都欺負我，連不肯對我哼一聲喘個氣……」
紅薔微微地吐着香氣，
嬌嬌地瞧着粉蝶一眼，
細細地說，笑微微地：

『是個詩人的園子呢，小哥哥。
你不看那邊遠遠的竹窗裏？
窗裏坐着的就是……
哦！他正看着你出神，怕又要把你寫成詩了！
他是常常把我們來說長說短的；
昨天還稱我是個香國的仙女呢，
這是黃鶯兒對我偸偸地說的。』

粉蝶嘆了口氣說
『啊，謝謝你！這詩人倒有些意思。
但不曉得他要說我什麼？說我是蟲鄉的惡少年罷？
什麼？不會的？我要去看看來纔曉得。

他會找死我麼？什麼？不會的？
他是很溫柔的？他是很可愛的？
那麼，我就瞧一瞧去，再會罷，紅薔姐姐。』

紅薔流着醉人的眼波望着粉蝶飛去，
心裏頭暗暗地自言自語：
『哦！好一位可愛的粉蝶兒！
我從未看過這樣美麗，又這樣無邪氣的。
看他那黑黛的蛾眉。看他那粉斑斑地……
啊！他好像在和詩人說什麼呢。』

粉蝶失望地垂着頭飛回來，

把蛾眉兒緊緊蹙住，默默不語。

紅薔溫存地問：
『小哥哥，你怎麼把蛾眉蹙着？
怎地？那詩人調笑你？輕蔑你？
你怎得只是低頭悶氣？』

粉蝶嘆了口氣，說：
『啊！姐姐請你聽罷，他正在羡慕我呢！
但好一個便宜的詩人喲！
他只描得毛皮，畫不出深埋的心底。
他寫什麼麼？他說我什麼麼？

啊，請你聽，好姐姐——
青草青，
紅花紅，
粉蝶兒喜得蛾眉動，
盡管醉，
盡管飛，
飜紅落日不知歸。
姐姐，你聽清麼，他說的是這些呀：
他只描得毛皮，畫不出我個心底！」
紅薔聽完說道，不禁好笑在心裏：
「可不是？你不是盡管醉，盡管飛，

飛紅落日不知歸?
看那山背後美麗的夕照喲!
你這小小的年紀，又有什麼心事來?
好個畫不出的心底!呵呵呵呵……』

粉蝶聽了垂頭喪氣，蛾眉越蹙得緊:
『啊!我聽了好不傷心!
巧慧的姐姐，我不曉得連你也在做夢，
不知我蛾眉結着什麼愁怨，
還要說我小小的年紀!
請了罷，我要飛去。
沿途唱着無人曉得的悲歌，

我將飛去，向任何的山任何的坡！」

粉蝶淚水凝在眼簾，
蛾眉悱惻顫動，欲滴不滴。
紅薔心知失言，
懊悔與同情之心混在一起；
鼻端香氣，不好意思似地說：
「是我一時的不是，小哥哥，莫要氣。
我知道了，知道你心裏埋着過去的種子。
說給我聽罷，將你過往的經歷；
唱給我聽罷，將你那無人知的悲曲！
或許我會替你流些淚，

使你鬱結的心腸輕快些。』

粉蝶對紅薔行了一個點首禮：
『啊，謝你姐姐好意！
我不說你怎知，也難怪你。
但我從未對誰說過，雖那是我常唱的歌，
有時在溪澗邊，有時在竹籬前。
請了罷，恐怕黑了迷；
我還須得找個地方安棲……』

紅薔着急地說：
『哦！可憐的小哥哥，你賭氣？

可愛的小哥哥，勿推辭。
來罷，今晚又有月娘娘做伴侶，
你何妨歇在我這小枝，唱唱談談出出氣？
或許我聽了會知解你安慰你，
來罷，你不是很疲乏了麼？
來歇在我的身邊，細說心緒！』

粉蝶動了心，淚水一點墜地：
『啊！謝你姐姐多情，謝你姐姐好意！
但我怕你滿身都是刺……』

『我的刺會軟如棉的，對你。』

這是紅薔嬌滴滴的柔媚軟語。

『眞的？那麼就謝謝你……
啊！我也眞疲乏了，今天不知飛了幾十里……
哦，奶奶。你看那詩人！
夜的黑帷漸漸蒙下來了，
你看他還在竹街下出神呢。』

『他是常常這樣的；有時連飯都忘了喫！
他有時要來我們的身邊，唧唧噥噥地問短問長；
可是我們說的話他又懂不得，聽不見。
更有時要默默地獃坐青草上望天心，

長吁短嘆地，好像也有他自己的心事嗎，
但這有什麼關係，我們說我們的罷。
你看四圍都暗黑了，
什麼都被蒙住了，詩人也被吸收了！
我每在這個時候，總是又恐慌又悲傷。
但等一下子，月娘娘就要梳粧打扮出來的罷，
那可親可愛的月娘娘呢……
啊！你聽見蛙蛙叫麼，可愛的小哥哥？
你又聽見草蟲兒鳴麼，那是我最愛聽的？
當深迷迷的一個黑夜裏，我正在恐怖傷感時，
牠們就唱出這幽雅的樂曲，
使我忘卻了一切悲愁悽惶的心事。

啊！聽啦，那是多麼微妙抑揚！
可是今晚怎麼帶些淒切的音調……
哦！我們說我們的罷！就唱麼，小哥哥？
看啦，看那邊的天色，那麼蒼茫蒼茫地，
是月娘娘要出來的前兆呢。
你怎麼只管瞧着我，可愛的小哥哥？
就唱罷，你來歇在我這小枝，
我們等下就可以在銀光裏沐浴，
把今天染上的塵埃洗掉呢……
啊！好一個哀怨神祕的夜景，
我心不知如何總覺滿滿地，滿滿地酸辛……」

粉蝶情熱地吻着紅薔的眼睛，說：
『姐姐，可愛的姐姐，你爲何要這樣感傷？
你兩頰的粉紅消失了呢！
唱麼？好，我就唱，我就唱哩……
但要從何唱起？好罷，從這裏，
請姐姐慢慢地聽來，
我就歇在你嘴邊的這一小枝……』

粉蝶豎起兩小翅，磨着紅薔的膀膊，
歇在小枝上，那兒很安穩妥貼。
紅薔滿心歡喜，微微地傾着首等粉蝶歌唱的開始。
稍停一息，粉蝶緩慢地感動地提起腔喉，

以下便是他的宮商角徵羽：——

我生在一根青草下，
那是世間頂安穩的一個生家。
雀兒看我不見，
黃鶯兒也只管枝上啼。
但我不能久蟄居，
我看粉斑斑的大哥小兄弟，
在我的面前飛來飛去，
翩翩躚躚好不歡喜，
紛紛紜紜好不有趣！

有一天我就給了生家幾十個辭別禮，
隨着兒弟們飛遊出去……
哦！那多麼有趣呢！
花花綠綠，紅紅紫紫；
小河水呀，清涼涼；
長堤岸呀，青翠翠；
這兒花揚，那兒粉墜；
亂紛紛好一場春天的酣醉！
天氣又清朗，春風又暖和，
我這兒飛飛，那兒遨遨，
看了許多新奇的花樣，

聽了許多歡樂的波漣……
但哦！我把歸路忘記了，
大哥小弟們不知飛到何處，
當我想回家時，花徑已認不清，
綠叢紅網已把我迷住！

渺渺茫茫，我從此，
四處亂飛，八方迷離；
有時歇在竹籬尖，
有時歇在草枝上。
有時要被小童相逐，
有時要被小鳥相欺，

還有時要被風呀雨呀來淩遲。

在這驚紅恐綠的迷途時，
我認識了一位花姐姐，
雜在桃花岸上，混在李花山邊。

啊！好一位美麗的花姐姐喲！
好一位親切慈惠的花姐姐喲！
遊客無萬無千，只賞桃與李，
那曉得她最是潔白清香！
我天天要在她的身邊纏綿，
天天要唱我迷途的歌兒給她猜想。

但如何，當她聽了我的迷途歌，
每是眼裏放出淚的光和愁的波，
不肯讓我挨近的兩頰，
生出兩個小小寂寞的笑窩！

是一個沉醉的春夜剛黎明，
是遊客們還在帳裏春夢深，
是春雷嚇得我無處好安身，
我丁零零飛撲在她的胸襟：
『親愛的姐姐呀，救我的命！
你怎麼這樣石的腸鐵的心？

看啦，看我身上的粉好新，
蛾眉又細又長又翠又青，
我天天又唱迷歌兒給你聽……
姐呀，只讓我在你的臉上親一親！』

桃花在岸邊妬恨，
李花在笑我癡情；
但我的姐呀，她淚溼眼睛，
抱起我憂愁的熱望的着色的小頸，
很柔和地叮嚀復叮嚀：
『你這着色的多情的小頸呀，小頸！
你雖可愛，你雖可憐，

但我是被人家棄在路旁的白蓮馨，
我甜的蜜已消盡，花將凋零，
我是被人家踐踏過了的白蓮馨！
任牠朝露霏霏灑，
灑不落我的傷痕深；
任牠春風陣陣緊，
緊不着我破碎了的心。
你這着色的多情的小頸呀，小頸！
我給不得你的安慰，你的熱情。
那邊紅的白的盡多，
只要你對她們一唱迷兒歌。
請了罷，莫蓋在我這兒纏綿，

徒使我的心傷你的心傷……」
她的哀愁的聲兒消入朝霧裏，
她的含情的眼睛兒淚滴滴，
把我推開了的她的頭垂下去，
珠淚點點草上墜，
映着初陽的探望發光輝！

我不知要飛上天，
還是要飛入地！
我飛到山背後的陰影裏，
偷偷地痛哭了一場聲風淚雨，

等得太陽在催飛鳥歸巢時，
啊，我戀慕的姐呀，
已死在夕陽無限的黃昏裏！
她雪白的花瓣兒，自殘地，
凋落在綠煙迷人的草地上，
無聲無息，無聲無息……

落日無情鴉飛急，
陣陣啼聲淚沾溼；
想把零落的花瓣片片拾，
但晚來的春風呀，輕來襲，
把她吹散得無蹤無跡，

無蹤無跡……
從此我懷着無限的悽惶與空虛，
舉起兩葉失望的小翅，
一任陰風吹送飛無知，
到了我飛不起，
就墜下田闓中，
折斷香稻兩三枝……
啊！從此我懷着無限的悽惶與空虛，
不知飛到那裏，不知要飛到那裏！
從此我只得又四處亂飛，八方迷離，

帶着不可言喻的悲哀在心底！

粉蝶歌停時，月娘娘從樹梢探首出來，
遠遠的村犬在驚吠。紅薔呢，
她的雲鬢共眼波低低垂。

粉蝶嘆了口氣說：
『姐姐，你聽了麼？
這是我常唱的歌，聽我的是你今晚最初。
哦，我們盡管迷歌，月娘娘已新裝出來了！
看啦，姐姐，你看那豐圓豐圓的銀鏡；
你看那蒼白蒼白的眼睛，

好像在搜尋什麼似的呢。
你又看那幾點的小星星，
好像在引誘月娘，說情話給她聽……
姐姐，你怎麼把頭來垂？
哦，姐姐，你在流淚！
你傷心麼？有什麼傷心呢？
說罷，歌罷，我聽你的，我聽，我聽……」

紅薔慢慢地把頭擡起，
望月娘娘給與哀愁的一瞥，
拭了最後的眼淚兩滴，
聲兒微微，微微地：

「運命呢，運命呢，
我和你有同樣的悲哀，不同的聲色！
你聽我的嗎？好，
我這深祕的心底也未曾對誰說過，
今晚爲感謝你的開陳衷心，
爲感激你的知己，我也來表白我的隱情。」

粉蝶越加生起同情，
溫柔地撫着紅薔的雲鬢：
『你說罷，我來聽，
或許我會替你分點苦悶無邊的心……』

紅薔感動着輕輕地吻了粉蝶的蛾眉，
吐出嬌柔的聲氣：
「謝謝你，謝謝你……
是呀，我要從這兒說起，
從我含苞的心兒初放說起。」

當我還在綠夢的帳裏貪睡時，
我不曉得地有狂風天有雨；
我只在夢幻的園中想天地，
那兒有小鳥玲瓏，蝴蝶美麗，
沒有毛蟲兒嚙斷花腰柳眉。

一陣春風破曉吹來，
母樹醉得枝搖葉擺；
一滴清露冷冰冰，
飛落我的心上來，
使我從夢裏驚醒，
綠夢的羅幃和惺忪的睡眼一時開！

我初看太陽的五彩光輝，
我初嘗晨風的三分微醉，
初曉得鶯兒怎樣啁啁啼，
初曉得蝶兒怎樣翩翩飛。

啊，那得忘記，我那得忘記！
當黃鶯兒在我的頭上歌吟時，
一隻斑紅的花蝶飛歇在我的身邊，
輕輕地說：『妹妹呀，我愛你！』

我覺得天地是一首好詩，
覺得春風眞如人意；
但我當時又羞又疑，
我紅着兩頰對他說了呢，
『你快飛去快飛去……』

黃鶯兒在枝上笑我嬌癡，

春風在葉底罵我不知趣，
花蝶怨恨地暗暗在啜泣，
我一個心兒懸在葉尖端搖曳。

是歡樂的鶯哥兒給我勇氣，
『花蝶呀，我也愛你，』我對他說：
『但你忽而飛東，忽而飛西，
這兒偎偎，那兒依依；
我把心兒人兒交給你，
不知何時要被你拋棄……』

花蝶振着粉翅兒翩翩習習，

對黃鶯對春風對我設誓：
『妹妹呀我只愛你，
直至黃鶯不啼春風飛去，
直至我死在你的花心裏，
妹妹呀我只愛你！』

哦！春風滿足地在柳葉上生微波，
黃鶯兒熱情地在樹梢頭唱戀歌，
花蝶瘋狂地飛來將我緊緊抱着，
我又愛又羞地紅着臉兒無處躲，
只覺得他粉身磨着我的香膀時，
那又苦又甜又熱又酸的淚水呀，

從我的唇邊慢慢地流落，流落！

從此我把什麼都忘記，
每日只是歡天喜地，
太陽出天晴很揚氣，
陰雨天也不會給我憂鬱。
什麼永遠的冰河將襲來呀，
什麼最後的火山將爆發呀，
那管得這些宇宙的絕滅；
他每天要四處飛遊探聽消息，
回來說給我聽，大家笑笑嘻嘻，
我只覺得我們的生命與愛是無垠無邊的。

但要怎樣說好呢，啊，要怎樣說好呢！
我這幸福好像小孩做出的雪人美女，
頃刻就容改膚消，化成一灘清冷水，
不知流到何處去，流得無蹤無跡！

是個春風春雨蕭颯的清早晨，
我的花蝶兒格外地對我用情，
在我的香頰上磨着他的嘴脣：
『妹妹呀你的心是我的心，
我的心如皓月晶瑩如水清，
我們的愛將如永遠光輝的星星。

就我向十八層地獄沉淪，
我也忘不了你的愛芬芳；
就你先我魂兒飛上天庭，
我也不會變心另愛他人。
妹妹呀，你再給我親一親，
你要記着，任我死在何時何地，
我從最初到最後愛的只有你！』

啊！春雨這麼綿綿沁人心脾，
我的花蝶何故要說這感傷話呢？
他每天出去，每天總是心歡喜，
爲何今天如此纏綿地哀腸愁意？

「哥哥呀，你勇敢地飛遊去罷，
我相信你不會墮落沈淪，
我相信你不會把我忘記，
我相信我們的愛呀，
可以保證一切。」

哦！他的淚如春雨滴滴，
他的唇給我一個深深的吮吸，
從此他飛去了無消息！

我怕他是被小童兒捉去，
我怕他是被小鳥兒啄死，

我怕他是被春雨迷了路，
我怕他是被春雷擊死在中途……

朝朝啼，暮暮哭，
過了朝朝暮暮！
黃鶯爲我歌喉默，
春風爲我長太息……

紅薔說至此無限傷心，
淚珠映着月色落涔涔。
粉蝶聽至此無限同情，
輕輕地撫着她的曲頸：

『寬心罷，姐姐，這是運命。
他定是被小童兒捉去，挖了眼睛；
不曉得辨別東西，迷死在天地心……』

紅薔痛心地抱着粉蝶，
嗚嗚咽咽地發了最後的哀音：

啊！如這樣不痛徹我心！
如這樣不痛徹我心！
春風終於爲我送了信，
黃鶯終於爲我細打聽，
他們含恨地對我說呀，

花蝶爛死在野花的紅裙下！

紅薔說了俯伏在粉蝶的懷裏哭泣；
月娘娘看到臉轉慘白，
浮雲急急飛來把她遮住，
風在空中醞釀着暴動的勢力。

粉蝶說：「啊，姐姐，我不曉得要怎樣安慰你，
不曉得要怎樣安慰你；這是生成的天地……
哦！樹影移動，月娘隱去，這兒像要起狂風；
姐姐，我們再會罷，我須得找個花灣避暴風。」

紅薔把粉蝶的衣裾急急拖住說：
『哦！烏雲慘霧飛起了！
你看滿園的花草都慌得東搖西擺……
這樣的洪荒，你怎麼好飛動？
我不讓你去，你在這兒好罷，
等一下我還有話對你說呢。』
『哦！那詩人跑向我們這兒來了，
我須得離開你……』
『不成，不成！你看山櫻吹倒了，
你看那詩人的頭髮都吹散了？

啊！好可怖的夜景，好倉皇的天心！
我不讓你飛去，不讓你飛去！
像這樣的凶風，你一吹，
不知要吹到泥溝裏還是血河中……
啊！你的小翅已受了風傷，怎麽再飛得起？
來罷，快來，我們須得緊緊抱着相依，
緊——緊緊抱着相依……」

粉蝶無氣力地撲在紅薔的懷裏，
紅薔用力把他抱住。

風在狂呼，天地在飛舞……

粉蝶的柔脣永接在紅薔的花心深處！

詩人走到近邊來，
把紅薔連粉蝶的嫩枝折去，讚嘆着說：
『這是造化的不可思議！』
以後用銀針把粉蝶的心連紅薔的心穿起，
插在書架上，列在愛的標本中，註曰：
『一九二八年春，粉蝶與紅薔情死
在狂風暴動的月夜裏。』

一九二八，一二，一四，舊稿改作，

遺詩

春的感傷

一

我的年齡已有這麼多，
苦惱的針早把我青春的外套刺破，
女子呀，你爲什麼現在才想來愛我？

當我在窗下爲你低哭狂歌，
你怎不讓我把你緊緊抱着，
現在是；我已經愛着別個。

我的心已深深地在別人的心中埋，
你也已經和別人有了一個小孩，

現在是，雖有熱酒也開不得胸懷。

你說，你要跟我到海角天涯，
和我相扶着走過崎嶇險阻的世界，
要把一切的蘿籐石塊割斷拋開。

你又說，你不會管過去的悲哀，
你只有希望和光明快樂的將來，
如果我也決絕一切承受你的愛。

啊，女子，難道你還不曉得我的心和身的腐敗？
縱使你眞的能夠忘卻以前的愛和生長着的小孩，

我也沒有資格再來愛你，有，也沒有勇氣澎湃。

又你難道還不曉得這天地間沒有永遠的愛？
若有，你便不會想把你那從前的男子丟開，
想和從前你所不要了的人相抱着跳下大海。

我推想，當你現在的情熱被冷風吹醒時，
你會念及舊時的花和舊時的種子，
會後悔你不該對我寫出這樣的情詩。

我推想，當我初次擁抱你在懷裏，
你歡狂的心和身會在我的懷中戰慄，

但倦怠了的時候你又會把我摒拒。

女子，我是沒有你那般的勇氣和那般的熱，
我的眼瞳已如暗的星我的兩頰已如黃的葉，
我情願作我的受難而可愛的白鴿朝朝夜夜。

啊，我青春，哀我青春，哀我青春，
現在只有記憶的夢和縹緲的音，
縱我接受你的愛，也不過是一夜柔唇！

二

這大馬路的堂皇的東亞旅館，

這一百零三的華麗的特號房，
這細軟的繡被和彈動的銅牀。

這窗外都市特有的騷擾的交響樂，
這房裏帶人的空氣和燈光的隱約，
這徹心的陶醉和身上陶醉的感覺。

女子，你醒了來，從這逸樂的抱擁中，
從這甜蜜的疲勞之現實的好夢，
從這緊張的寬放和醉眼的惺忪？

你說幾晚的失眠到今晚才得安臥；

你微笑的唇兒平靜地吻了我一下，
柔嫩的手繞着我的頸兒睡，睏着。

啊，女子，醒醒罷，談談心罷，
再壓壓腿兒，再吮吮唇和舌，
這是我們最初的一夜和最後的一夜！

三

你的人在你的背後哀訴，
我的愛在我的心中痛哭，
黃浦江在我們的面前呪咀。

跳下江中去嗎，相抱着，你說？
啊，江中的水流不盡岸上人的隱憂，
我們只得把各自的苦痛繫留，永久。

坐江上的船逃嗎，相攜着，你說？
啊，你比我年輕比我熱情；我比你老，
比你懦弱優柔，這我早就對你說過。

你哭嗎，哭我欺負了你，你說？
啊，任你怎樣罵我，我都願受，
但從今天，今天以後我們須得分手。

從今天以後活着也等於死嗎，你說？
啊，不會的，你將漸漸地忘情復生，
你會漸漸地再愛起那麼愛你的男人。

你恨我嗎，你說，你恨我？
啊，你恨罷，我只好讓你深恨，
因爲我老是這樣地又衝動又懦弱又不忍。

現在是，我給了你一夜深深的傷痕，
給了我的愛破碎的心和無限的悲憤，
這，我得獨自暗暗地抱着走入墓墳！

民國廿二年九月初版發行

春的感傷

實價大洋三角

（實價不折不扣
外埠酌加寄費）

著者 楊騷
發行者 杜海生
印刷者 美成印刷公司

總發行所 上海福州路八五號 開明書店
分發行所 南京 北平 漢口 廣州 長沙 開明書店分店

（詩459）

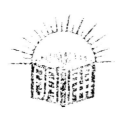